LOCUS

LOCUS

LOCUS

LOCUS

smile, please

smile 27

7 BRAINS

作者：邁可．葛柏(Michael Gelb)

譯者：劉蘊芳

責任編輯：陳郁馨

美術編輯：何萍萍

法律顧問：全理法律事務所董安丹律師

出版者：大塊文化出版股份有限公司

台北市104南京東路四段25號11樓

讀者服務專線：080-006689

TEL：(02) 87123898　FAX：(02) 87123897

郵撥帳號：18955675　戶名：大塊文化出版股份有限公司

e-mail:locus@locus.com.tw

本書版權經由博達版權代理有限公司取得

總經銷：北城圖書有限公司　地址：台北縣三重市大智路139號

TEL：(02) 29818089 (代表號)　FAX：(02) 29883028　29813049

製版：源耕印刷事業有限公司

初版一刷：1999年 11 月

初版4刷：2000年 1 月

定價：新台幣300 元

Printed in Taiwan

7 Brains

怎樣擁有達文西的7種天才

Michael Gelb◎著
劉蘊芳◎譯

目錄

第三部 素描課

前言

生於太陽

想一想，誰是你心目中最偉大的男女英雄，哪一個典範人物最能激勵你。如果你夠幸運，這份名單可能包括你的父母。也許你最受歷史偉人的啓發。也許，浸淫在偉大藝術家、領袖、學者和精神導師的生平及作品之中，能提供心智豐富的養分。或許，你拿起這本書，是因爲你體認達文西是人類潛能的一個極致，而你希望有機會多認識他。

在我孩提時代，超人和達文西都是我的英雄。後來，「鋼鐵般的人」(Man of Steel) 逐漸被我淘汰出局，但我對達文西的著迷與日俱增。然後，一九九四年春天，我應邀前往佛羅倫斯，向一個素有名望又以挑剔出名的公司總裁協會演講。這個協會的主席問我：「你能不能爲我們的會員準備一些素材，使他們在生活和專業領域中都能更富創意，也更均衡？告訴他們，如何成爲具有文藝復興時代精神的人？」我不假思索就以我的夢想回答：「如何像達文西一樣思考——這個題目怎麼樣？」

這一份作業我可不能掉以輕心。我的學生付出可觀的學費來參加爲期六天的「大學」，這是這個總裁協會提供給會員的機會，讓他們每年都齊聚在世界的某個大城市，在歷史、文化和事業的課題中探索，同時追求個人成長及專業的發展。會員能在幾門課程中選擇自己想聽的課；我的課與其他五門課程同時進行，包括飛雅特前任總裁阿格涅利 (Giovanni Agnelli) 的講課，會員並要爲所有講者在一到十的量表打分數。如果遇到不喜歡的課，他們可以大搖大擺走出課堂。換句話說，如果會員不喜歡你，可會狠狠給你顏色看，毫不寬貸！

儘管我對這個新題目有著一生的著迷爲後盾，但我知道，我有功課要做。除了博覽群書之外，我的準備功夫還包括一趟達文西的朝聖之旅。第一站，先到美國華府的國家藝廊瞻仰達文西所做的〈日內瓦・德班契的畫像〉。在紐約，我趕上比爾・蓋茲和微軟公司贊助的「列斯特超本」巡迴展。接著我來到倫敦，在大英博物館觀賞達文西的手稿，在國家藝廊欣賞〈聖母聖嬰與聖安娜〉。然後我拜訪巴黎的羅浮宮，花了幾天，與〈蒙娜麗沙〉和〈施洗者約翰〉相處。然而，這場朝聖之旅的高潮，是去拜訪位於安波瓦茲附近，達文西度過人生最後幾年的克魯斯城堡。這座城堡如今成爲達文西博物館，裡面有ＩＢＭ工程師爲達文西發明所做的複製品，維妙維肖。我踩在他走過的地板上，坐在他的書房，站在他的臥室，從他的窗口往外眺望，看到他每天凝視的景象，心裡充滿了敬畏、尊敬、讚嘆、哀傷及感恩。

我繼續旅行，到達佛羅倫斯，在這兒對著一群總裁講課。介紹我出場的人，把我的小傳與我提出的達文西論文搞混，這下子好戲上場了。她說——這絕不是我憑空捏造的話——「親愛的先生女士，今天我深感榮幸向各位介紹一位貴賓，他的背景遠遠凌駕任何我認識的人：他是解剖家、建築師、植物學家、城市規劃者、戲服和舞台設計師、大廚、幽默作家、工程師、騎師、發明家、地理學者、地質學者、數學家、軍事科學家、音樂家、畫家、哲學家、物理學家，並且善於講故事……各位先生各位女士，爲您介紹，邁可・葛柏先生！」

啊，假如他介紹的人眞的是我……

嗯，後來證明，這場講課圓滿成功(沒有人在中途離開)，也誕生了你現在手上的這本書。

在那場令人難忘的介紹辭出現之前，一位會員走到我跟前說：「我不相信有人能經由學習而成爲達文西，但我還是來聽你講課。」也許你也抱持類似的想法：這本書難道假設，每一個孩子，生來即具有像達文西一樣的聰明才智嗎？作者眞的相信，我們都能成爲達文西之流的天才嗎？嗯，老實說，不是的。

儘管我數十年來致力探究人類潛能的極致，以及如何喚醒這股潛能，但我同意達文西的弟子梅爾吉 (Frnacesco Melzi) 在大師辭世時所說的：「失去這樣的人才，全人類同感哀悼，因爲大自然無力再創造出另一位。」我多了解達文西一分，對他的敬畏和他的神秘感就愈增加一分。所有偉大的天才都獨一無二，而達文西，也許是天才中的天才。

但關鍵的問題仍然存而未決：達文西的學習手法及培養智力的基本原則，是否可以被提煉出來，用以啓發並引導我們實現自己的全副潛能？

我對這個問題的答案當然是：可以！達文西的學習手法與培養智力的基本要素，都相當清楚，也可加以研究、效法及應用。

以爲我們能夠學著變成天才中的天才，是不是太狂妄自大？也許是。不過，不妨這樣想：我們是在以天才爲榜樣，引導我們更活出自己。

在我們展翅遨翔於歷史上最崇高的心智之前，詩人史本德 (Spencer Spender) 的美妙詩句，提供了絕佳的序言：

我經常想起那些真正的偉人。
他們透過光線的長廊，打從子宮記得靈魂的歷史。
在這廊上，時光即太陽，
無遠無盡，開口高歌。
他們可愛的野心，在於他們帶火的嘴唇
訴說著全然包裹在歌中的精神。
他們從春天的枝椏取得渴望，
如一樹花海般落遍全身的渴望。
珍貴的是從不遺忘
從亙古的泉中湧出鮮血的愉悅，
在我們地球之前的世界中披荊斬棘，
從不否認它在單純晨光中的歡愉，
也不否認傍晚對於愛的嚴肅要求；
從不坐任人來人往逐漸以
噪音和迷霧抑制精神的綻放。

靠近白雪，靠近太陽，在最高處
看到迎風搖曳的青草，成串的白雲，
以及洗耳恭聽的天空中風之呢喃，
如何設宴祝賀那些名字；
那些畢生為生命奮戰的名字，
他們的心中帶著火焰的核心。

他們生於太陽，隨即朝著太陽開拔。
在鮮活的空氣裡留下榮耀的簽名。

我們現在所處的世界，充滿了前所未有的噪音、迷霧和人來人往。但是，你同樣也生於太陽，而且朝它開拔。本書是一本指南，靈感來自於歷史上的一位拔尖靈魂。本書邀請你呼吸鮮活的空氣，感受心靈深處的火焰，以及你精神的盛放。

第一部
緒論

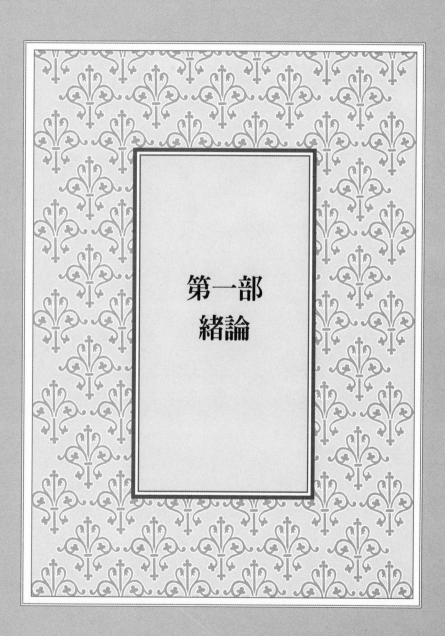

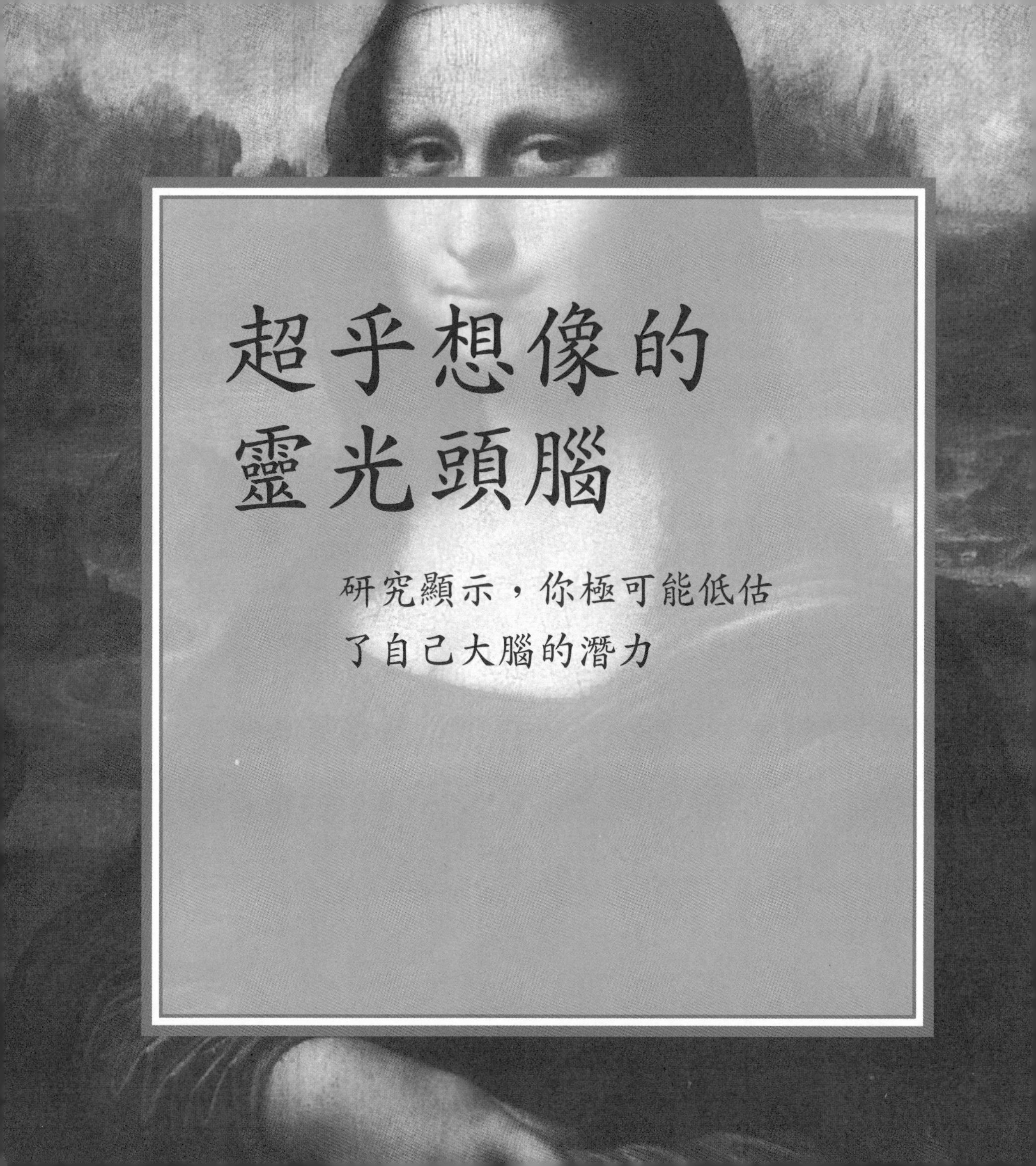

超乎想像的靈光頭腦

研究顯示，你極可能低估了自己大腦的潛力

達文西的聰明才智過人，我們可能再怎麼稱讚他都嫌不足，不過，近來的科學研究顯示，你極可能低估了自己的能力。上天其實賦予你無可限量的學習力和創造力。我們對於人腦能力的認識，有百分之九十五，都是在過去二十年裡面學到的。各級中小學、大學及公司行號，都才剛剛開始應用我們對於人類潛能的粗淺認識。讓我們先檢視當代對於智力的觀點，以及一些關於大腦潛力的本質和限度的研究結果，以此作爲向達文西看齊的跳板。

我們從小到大被灌輸的智力觀念，都來自傳統的智商測驗(IQ Test)。智商測驗是法國心理學家比涅 (Alfred Binet, 1857-1911) 首創，用來客觀衡量理解力、推理力和判斷力。比涅對於當時新興的心理學極感興趣，也亟欲克服十九世紀末法國人在評估兒童學業潛力上的文化偏見與階級偏見。今日我們視之爲傳統的智商觀念，在其形成之初是一大突破，但當代的研究顯示，這種智商觀念有兩個顯著的缺陷。

第一個缺陷是它認爲智力乃天注定，無可改變。的確，個體在某一方面的才能多多少少是由遺傳決定，但當代的研究者布贊 (Tony Buzan)、麥卡多(Machado)、溫吉 (Wenger) 等人表示，透過適當的訓練，智商成績可以大幅提高。在新近的《自然》期刊上，德福林 (Bernard Devli) 發表了他針對兩百多份智商研究案例所做的統計學上的評論，最後認爲，基因對於智商的影響絕不超過百分之四十八，其他百分之五十二來自產前照顧和生下來以後的環境與教育。

對於智力的約定俗成的看法中，還有一個漏洞：由智商測驗 (以及SAT

之類的學力性向測驗）所衡量的語言及數學推理能力，乃是智力的必要條件。上述這項對於智力的褊狹看法，早就受到當代心理學研究的徹底駁斥。心理學家嘉納（Howard Gardner）在他的著作《心靈架構》（*Frames of Minds*）一書中，提出了一項多重智力理論，假設每一個人至少具備七項可以衡量的智力（嘉納和同事後來又分門別類，列出二十五項次要智力）。這七項智力，以及各項智力的代表天才（達文西沒有列入，因爲他在每一項領域裡都是佼佼者）如下：

邏輯／數理：史蒂芬・霍金、牛頓、居里夫人

言辭／語言：莎士比亞、愛蜜麗・迪瑾遜、波赫士

空間／機械：米開朗基羅、歐姬芙、富勒（Buckminster Fuller）

音樂／莫札特、蓋希文、愛拉・費茲傑羅（Ella Fitzgerald）

肢體／運動覺：合氣道大師植芝盛平、拳王阿里、FM亞歷山大

人際／社會性：曼德拉、甘地、伊利莎白一世

自我認識／弗蘭克、一行禪師（Thich Nhat Hanh）、德雷莎修女

世人現已普遍接受多重智力的觀念，也知道智力可以由後天開發——對於有心以文藝復興人爲典範的男男女女而言，深富啓發意義。

現代心理學的研究，除了擴展我們對於智力的本質及幅度的了解之外，也揭示了關於人類潛能的驚人事實。我們可以用一句話來概述：你頭腦靈光的程度，超乎你的想像。若懂得了自己大腦非凡的天賦，便是實際研究達文西思考法的絕佳起步。請仔細思考下列特質：

★你的頭腦遠比任何超級電腦都還要靈活而且多才多藝。

★你的頭腦每一秒可以學習七件事。如果你從現在開始，每分每秒學習，毫不停歇，一直到你死時，你的大腦仍然有許多空間。

★頭腦如果運用得當，它可以與時俱進，隨著年齡增長而進步。

★你的頭腦並不只存在於你的腦袋。知名的神經學家佩特（Candice Pert）博士指出：「智能不只存在於腦袋，也存在於全身細胞中……傳統上把與腦有關的心智過程（包括情緒）與肉體截然二分，這樣的看法早已過時。」

★你的頭腦獨一無二。全球現存六十億人口，歷來有九百多億人口，在這之中沒有任何人跟你一模一樣，除非你有同卵雙胞胎的手足。你的創造天賦、指紋、表達、ＤＮＡ和夢境，在在前所未有，而且獨一無二。

★你的頭腦能夠產生無限的神經鍵連結或思惟模式。

上述的最後一點，乃由傳奇的心理學先驅帕弗洛夫（Ivan Pavlov）的弟子，莫斯科大學的安諾金（Pyotr Anokhin）率先提出。安諾金在一九六八年發表研究顯示，普通人腦所能產生的思考模式，其數目至少是一後面加上一億零五百萬公里長的用打字機打出的零。這著實震驚了科學界。

隨著年紀漸增，大腦會發生什麼變化？許多人以為，頭腦和身體的能力會隨之衰退；過了二十五歲，每天都會失去可觀的腦力。事實上，一般人的腦子可隨年齡增加而有進步。我們的神經元一輩子都能創造出日益複雜的新連結。而且，神經有著博大的天賦，即使我們每天失去一千個腦細胞，到死時，所失去的部分還不到大腦總容量的百分之一（別失去你真正使用著的那百分之一！）

安諾金說，人腦像個「多面向的樂器，能同時彈奏無數樂曲」。他強調，人人與生具有無窮潛力；他說，古往今來無人曾充分使用大腦能力。然而安諾金也許會同意：對於想充分探索潛能的人來說，達文西會是個好榜樣。

向達文西學習

鴨寶寶向鴨媽媽學習生存之道——從模仿中學習，是許多物種的基本傾向，人類也不例外。當我們長大成人後，還多了一項獨特的優勢：我們可以選擇要向誰看齊，向什麼看齊。當我們超越了原先所選擇的榜樣後，還可以有意識地找尋新的模仿對象。我們理當選擇最佳典範，來引導並激勵我們實現一己潛力。

因此，如果你想成爲高爾夫球好手，就應該研究賀根 (Ben Hogan)、尼可拉斯 (Jack Nicklaus) 和老虎伍茲。如果你想當領袖，就該研究邱吉爾、林肯及伊莉莎白一世。如果你想當個博學多聞的人，就去研究亞伯第、十二世紀的神祕主義論者，希爾德佳 (Hildegard von Bingen) 和美國的傑佛遜，而箇中最佳典範莫過於達文西。

在《天才之書》(*The Book of Genius*)中，布贊和雷門・金 (Raymond Keene) 做了一個創舉，嘗試以客觀方式評選人類史上的頂尖天才，並依名次排列。他們就「原創性」、「多才多藝」、「在某領域執牛耳」、「視野的普及性」、「力量與精力」等項目，逐一爲評估對象評分，開出下列這份人類史上十大天才排行榜：

十、愛因斯坦
九、皮底亞斯（雅典城的建築師）
八、亞歷山大大帝
七、傑佛遜
六、牛頓
五、米開朗基羅
四、歌德
三、建造金字塔的人
二、莎士比亞
而誰是天才中的天才呢？達文西是也。

四百年前，凡薩利在《藝術家生平》一書中談到達文西：

上天有時候送給世人不凡的人物，他們不僅是人性的化身，簡直是彰顯了神性。如果能向他們看齊，我們的頭腦和心智也有可能登峰造極。經驗顯示，如果研究並跟隨這些大師的腳步，即使自身並無特別天賦，至少也能接近神所創造的超凡作品。

我們逐漸對於智能的多樣及大腦的能力有所了解，這才知道，我們的天賦其實遠超過自己的

亞伯第（Leon Battista Alberti, 1401-72）是首位文藝復興人，也是達文西的榜樣。他身兼建築師、工程師、數學家、畫家和哲學家等多重身分，同時是一位天賦異稟的運動員和音樂家。

想像。在本書中，我們會「研究並跟隨」達文西這位曠世天才的腳步，把他的智慧和啓發帶進你的日常生活。

通往天才的實際手法

在接下來的篇幅中，你會學到一個經使用後證明可行的實用手法，應用達文西天賦中的基本要素，以此豐富生命。待你開發出強有力的策略來從事創意思考，並以新方式表達自我，便會獲得一種振奮人心的獨到方式來看待世界並享受生活。你會學到經證明的、使感官更爲敏銳的技巧，釋放你獨特的智能，使身心合一。以達文西做爲源頭活水，將會使你的生命成爲一件藝術品。

你可能早已熟知達文西的生平和作品，但等你看完本書後，會對這位謎樣的人物產生新鮮的觀照和更深一層的賞識。從他的眼光來看世界，你可能也會嘗到一絲高處不勝寒的寂寞感。但是我保證，他的精神一定能使

凡薩利 (1511-1574)，是佛羅倫斯城烏菲茲宮殿 (Uffizi) 的建築師，也是米開朗基羅的弟子。他寫了《藝術家生平》一書，於一五四九年初版。學者都認為，凡薩利這本著作開創了藝術史此一學科。本書向來是研究義大利文藝復興藝術最重要的來源。凡薩利以超凡的才能，側寫近兩百位畫家、雕刻家和建築家的生平及作品，包括喬托 (Giotto, 約1266-1377)、馬沙其奧 (Masaccio, 1401-1428)、布魯內勒斯基 (Brunelleschi, 1377-1446)、唐那提洛 (Donatello, 1386-1466)、波提且利 (Botticelli, 1444-1510)、維洛其奧 (Verrocchio, 1435-1488)、拉菲爾、米開朗基羅、提香 (Titian, 1480-1576)，當然，沒有漏掉達文西。

你振奮，他在生命中的追尋，一定能對你多所啓發，而認識了他，將使你覺得沾了光。

本書一開始，便簡述了文藝復興時期的重要特質，以及該時期與我們這個時代的相似之處，接下來，也勾勒出達文西的生平及其主要成就。本書的核心，在於討論七項達文西原則，而每一項都出自對達文西其人及其方法的詳盡研究。這些達文西原則，你可能一看就心領神會。而它們就和一般常識一樣，除了要記住之外，更要開發並加以應用。

這七項達文西原則如下：

好奇：對於生活充滿無窮的好奇，終生追求，學習不懈。

實證：務求從經驗中求證知識之眞僞。堅持。願意從錯誤中學習。

感受：持續精鍊感官的能力，特別是視覺能力，以追求生動的經驗。

包容：願意擁抱曖昧、弔詭及不確定。

全腦思考：在科學與藝術、邏輯與想像之間平衡發展。以「全腦」進行思考。

儀態：培養優雅的風範、靈巧的雙手、健美的體格及大方的舉止。

關連：能夠了解並欣賞萬事和所有現象是相互關連的。系統思考。

如果你已經讀到這裡，你就應用了達文西的第一項原則。「好奇」，亦即終生學習的追尋，乃是一切之首，因爲，想知道、想學習與想成長的渴望，是知識、智慧及發現的發電廠。

如果你有意爲自己思考，並且使頭腦掙脫種種習慣和成見，那麼你就登上了第二項原則的軌道：實證精神。達文西在追求眞理的途中，極力主張我們人必須質疑約定俗成的智慧。他用實證這名詞來說明，透過實際經驗爲自己學習，是很重要的事。

現在，我們暫停幾分鐘，回想一下，過去一年來你覺得活得最鮮明的時刻是什麼時候。極可能你當時的感受力增強了不少。我們的第三項原則，「感受」，著重於用有自覺的方式使感官更敏銳。達文西相信，精鍊感官的覺察力，是豐富經驗的不二法門。

當你磨利了感官，探究經驗的深度，並喚醒赤子般的「凡事問」力量之後，你就會面臨更多的不確定和曖昧不明。「對於困惑的容忍度」，是深富創意者最顯著的特質，而達文西恐怕比歷來任何人都更具有這份特質。第四項原則引導你對未知更能處之泰然，並與弔詭爲友。

要從不確定中引發平衡與創意，需要第五項原則「全腦思考」的幫助。但除此之外，達文西相信，均衡不止於頭腦而已。他以身作則，肯定第六項原則的重要性，亦即身心的平衡。如果你看重模式、關係、關連和系統，如果你致力了解你的夢想、目標、價值觀和最遠大的抱負如何與日常生活整合，那麼你就應用了第七項原則：「關連」。關連，把萬事萬物聯繫在一起。

在本書中，每一項原則都會加上達文西的筆記摘要，並借用他的素描或繪畫更進一步闡明。在闡明某項原則之後，則會提出問題，供你沈思及自我評估。設計這些問題的用意，是要刺激你的思考，並激發你應用這些原則。在問題後面附有一套實際的練習，供你在個人生活與工作專業兩方面進行文藝復興。

如果想要從本書獲得最大裨益，請先瀏覽全書一遍，暫不做任何練習，只要沈思這些問題，進行反省並自我評估。瀏覽之後，再回顧每一項原則的解釋，然後再做書中的練習。有些練習簡單又有趣，有些則要費一番內在功夫。這一切練習，目的都在於把大師的精神引進你的日常生活。

本書最後一部分，有一堂「給初學者的達文西素描課」。此外，在最後一章你還會得知，如何參與一項體現達文西精神之本質的劃時代活動。

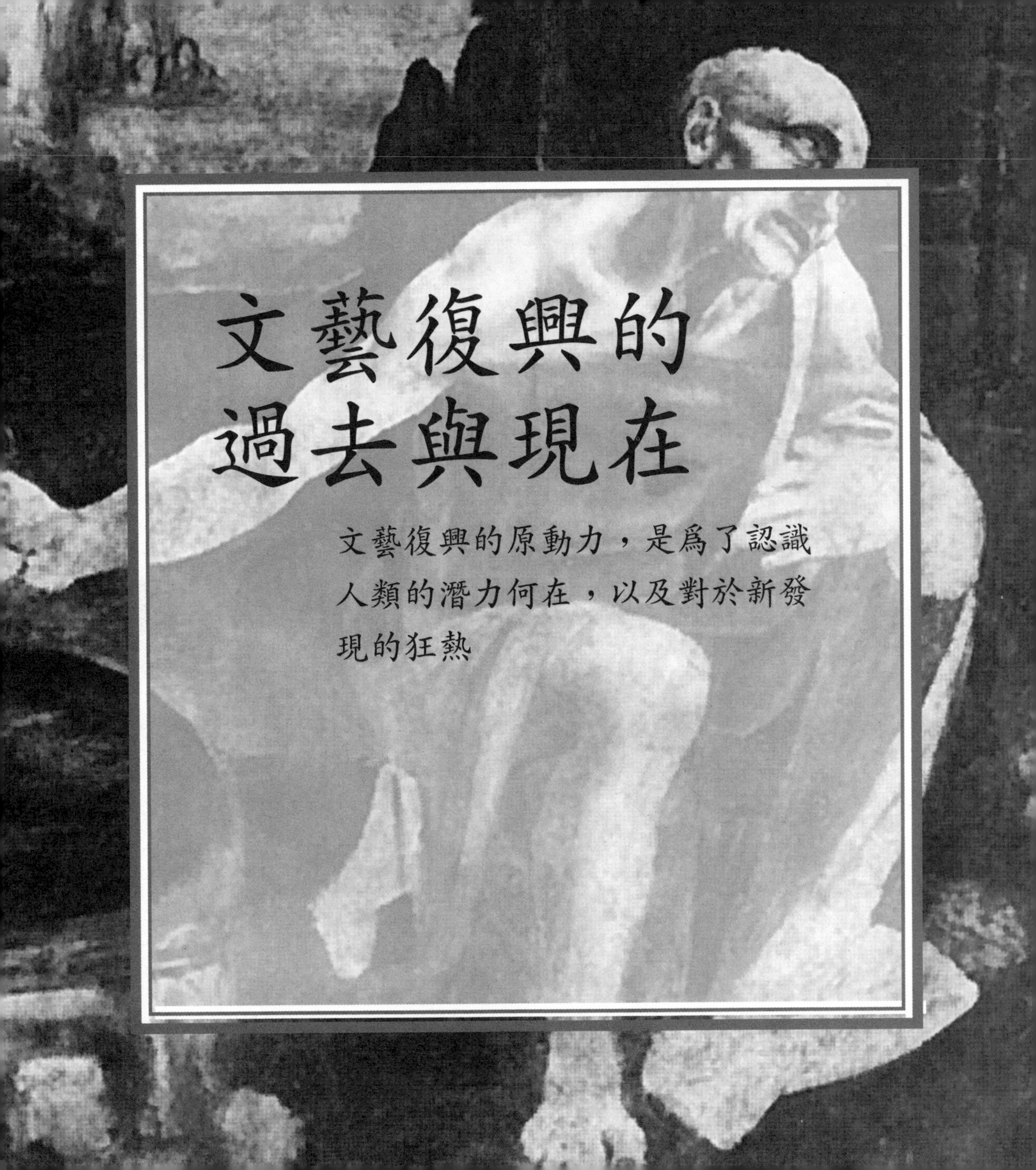

文藝復興的過去與現在

文藝復興的原動力，是爲了認識人類的潛力何在，以及對於新發現的狂熱離佛羅倫斯的熱門觀光路徑稍遠之處，過了阿諾河 (Arno River) 一點點，你會看到聖瑪利亞·德·卡敏 (Santa Maria del Carmine) 教堂。跨進教堂，往左轉，再立刻左轉，就會來到布藍卡契(Brancacci) 禮拜堂，它的四壁都是馬索黎諾 (Masolino) 和馬沙其奧的壁畫。左邊的第一幅壁畫，是馬沙其奧所描繪的亞當和夏娃被逐出伊甸園的情景。文藝復興就從這裡開始：馬沙其奧筆下的亞當和夏娃，並非畫成中世紀繪畫裡不食人間煙火的二度平面，而是像活生生的人；他們彎腰駝背的姿態和低垂的臉龐，都表達出眞實的情感。馬沙其奧的人物被描繪成三度立體，雙腳結實踩在地上，宣告了人類前途與潛力新紀元的來臨。

若欲理解這個新紀元，並想從我們對於達文西所做的研究中獲益，就必須對它的前一個時代有所了解。在《只由火焰照亮的世界：中世紀心靈及文藝復興》 (*A World Lit Only by Fire: The Medieval Mind and the Renaissance*) 一書中，作者曼徹斯特 (William Manchester) 認爲，文藝復興之前的歐洲，「戰火無歇，腐敗不堪，無法無天，人心被怪異神話統攝，其無知近乎冥頑不靈」。在曼徹斯特的描述中，從西羅馬帝國淪亡到文藝復興發軔這段期間：

> 幾無任何重大進展或衰退。除了在公元九世紀引進水車，十二世紀引進風車之外，不見重大發明。沒有任何驚人的新觀念，也沒有探索歐洲之外的領域。一切照舊，與最年老的歐洲人記憶所及沒有兩樣。托勒密觀念下的宇宙中心，是個已知的世界：歐洲在此，聖地和北非在世界的邊緣。太陽每天繞地球轉動。天堂位於不動的地球之上，在遙遠的天界某處；地獄則在人們腳下沸騰。

國王隨全能上主的心意統治；其他人都照吩咐行事……教堂不可分割，來世確實無疑；一切知識都已知曉。沒有任何事會改變。

文藝復興釋義

英文的"Renaissance"（文藝復興）一字，由法文的動詞"renaitre"（意指復甦）及名詞"naissance"（意指出生）等字根結合而成。這個字，在義大利文中叫做"Rinascimento"。

西方歷史中的「文藝復興」時期，是在經過了好幾個世紀的農奴制度和迷信之後，重新開始相信人類的力量及潛能。這是一場古典理想的復甦運動，由喬托打先鋒，布魯內勒斯基、亞伯第和馬沙其奧接續其志，而由達文西、米開朗基羅和拉菲爾發揚光大。中世紀以來的世界觀產生翻天覆地的變化，此外也出現好幾項發現、創新和發明，包括：

印刷機　使知識普及，不再只爲教士和統治菁英所擁有。一四五六年，歐洲的第一本印刷書問世，這是德國畫家古騰堡(Guteberg)印製的聖經，總印刷本數不超過六十本。而到了十六世紀之交，已有一千五百萬本印刷書籍在市面流通。

鉛筆及便宜的紙張　使寫作、抄筆記及知識的記錄能及於百姓。

天文觀測儀、羅盤及大型帆船　帶動海上交通、國際貿易與資訊交流大幅擴展。等到哥倫布和麥哲倫證明地球不是方的，許多傳統智慧隨即一蹶不振。

長程大砲　弩砲（中世紀所用的，射箭和投擲大石頭的機器）、投石機和小型大砲至此時已問世多年，卻無法攻破要塞的城牆。強有力的長程大砲，在十五世紀中葉由匈牙利工程師額本（Urban）率先開發。隨著新科技向四處散播，封建的要塞和封建制度本身，便不再固若金湯。現代的民族國家於焉誕生。

機械鐘　使人們視時間爲一項可控制的商品，因而刺激商業發展。中世紀的人沒有我們今天所了解的時間觀念。大多數人並不知道今夕何年何月，甚至不知道自己活在哪一個世紀。

這段時期的許多創新和大部分的藝術傑作，乃出於創業精神、對消費品的渴望和對投資的熱忱。在《塵世貨品：文藝復興新史》一書中，麗莎・賈定（Lisa Jardine）以精彩的圖片和一針見血又鉅細靡遺的文章顯示，文藝復興時期在文化及智性方面的變革，是如何受到資本主義的擴展所驅使。她指出，「那些我們今天斥之爲『消費主義』的衝動」，也存在於文藝復興時代人的心態中，正是這些態度產生了我們今天所珍視的作品及進展。商業主義也有其地位：「一位畫家的聲譽好壞，不在於他的藝術作品是否符合什麼崇高的內在標準，而端視他的作品能引發多少商業興趣。」

對於人類能力的非凡醒覺，也可從西洋棋的規則上看出一個趣味。在文藝復興之前，西洋棋裡的皇后一次只能走一個方格；等到對人類眼界和潛力的關照擴展之後，她就被賦予廣泛的能力，可以直走、橫走，不限格數，甚至可以斜走，而這規則沿用至今。

然而，爲什麼文藝復興會在那個時候發生，這問題仍然存在。在文藝復興之前的一千多年，歐洲在科學及探險領域的成就微不足道。在整個中世紀，人類的精神和體力絕大部分放在教義上的芝麻蒜皮，以及所謂的「聖」戰上面。頂尖的頭腦不用來探索新的土地、創新和觀念，卻拿來辯論能把多少個天使擺在一根針尖上跳舞。若有人質疑教條，教會必抓來加以折磨一番。這些，當然對獨立思考潑了一盆冷水。

我的同事雷蒙・金和我都相信，導致文藝復興出現的一件大事，發生在十四世紀。十四世紀時，有一場瘟疫橫掃歐洲，在短短時間內，將近半數的歐洲人口暴斃，死狀悽慘。死掉的牧師、主教、貴族和武士，總數與農夫、農奴、妓女和商人相當。即使皈依了宗教，對於教會虔誠和忠心，也得不到任何保障——這撼動了社會各階層的信仰。此外，富有人家在一夕之間損失許多家庭成員，使財富集中於少數的倖存者手上。在瘟疫之前，富者把金錢花在教會上；在瘟疫之後則開始兩面下注，也投資獨立的學術研究。人們出於這種可謂不知不覺的轉念，開始在祈禱與教條之外尋找答案。千年來爲教會所蓄積的知性能量，如今，開始經由瘟疫所激發的裂縫流向四處。

在文藝復興五百年後的今天，國家與大企業意圖向教會奪取人們的忠誠之心，整個世界在知識、資本主義及互動關係上正逢戲劇性的擴展。空中旅行（達文西夢想與預言的實現）、電話、收音機、電視、電影、傳眞機、個人電腦，以及新進的網際網路，交織出日益錯綜複雜的全球資訊交流。在農業、自動化及醫學上的革命性進展，都被視爲理所當然。人類已經登陸月球，也把機器送上火星，釋放原子的威力，解讀基因的密碼，並解開人腦的許多秘密。這些傳輸方式與科技的大幅發展，激發了資本主義的能量，使社會開放，也瓦解了獨裁政權。

你必然會注意到，改變的速度愈發快速。這些改變將會如何影響你個人及你的專業，沒有人知道。不過，我們和那群處於黑死病引發劇變之末期的思想家一樣，理應質問自己，我們該不該讓當權者——教會也好，政府或企業也罷——來爲我們思考。

然而，我們可以說，加速的改變和漸增的複雜程度，大大增加了智慧資本的價值。能以獨立和創新的方式思考、學習與適應的能力，已成奇貨可居。在文藝復興時期，抱有中世紀心態的人，都被遠遠甩在後頭；如今，在我們所處的資訊時代中，還懷抱中世紀及工業時代思維的人，面臨滅絕的威脅。

文藝復興的原動力乃是古典時期的理想，亦即對於人類的力量與潛力有所認識，對於新發現充滿狂熱；但文藝復興運動也爲古典理想轉型，使之能夠面對當時挑戰。現在，我們也可以從文藝復興的理想汲取靈感，將它改頭換面，以面對我們自己的挑戰。

也許，你和我很多朋友一樣，覺得自己最大的挑戰是如何在四面八方步步緊逼的壓力中，過著均衡而充實的生活。前面說到的，中世紀的人並沒有時間觀念；而我們剛好相反，恐有被時鐘控制之虞。在中世紀，一個普通人得不到資訊，僅有的少數書籍都是以拉丁文寫成，只傳授給菁英。現在，我們則快要被前所未有的資訊氾濫給淹沒。在五百年中，我們從一

文藝復興人

所謂的「文藝復興人」*(uomo universale)*，向來指的是一位面面俱到、均衡圓滿，對藝術及科學都多方浸淫，於其中游刃有餘的人。世界各國大學的通識課程正源於這個理想。在日益講求專門化的時代裡，想達到均衡，就必須違反時代的潮流。現代的文藝復興人除了熟知古典的通識之外，還必須：

一、懂電腦：可能達文西無法順利設定一台錄放影機，但現代文藝復興人必須跟上資訊科技的進展，並且對網際網路的使用日益嫻熟。

二、深諳心靈的運作模式：先前提到，我們對於人腦的認識，有百分之九十五都是在過去二十年來學到的。「深諳心靈運作模式」(mentally literate) 一詞，由英國研究者布贊所創，描述一個人對於逐漸揭露的人類心靈運作方式，具備實際的認識。首先，要能欣賞人腦的潛力及智能的多樣性，包括我們將會在本書中介紹的加速學習與創意思考的技巧。

三、具備全球意識：除了能理解全球在溝通、經濟與生態系統方面的連結之外，現代的文藝復興人對於各種不同的文化也能處之泰然。種族主義、性別歧視、宗教迫害、對於同性戀的恐懼態度和國家主義等等，乃是處於演化原始階段的痕跡。想要當個現代的文藝復興人，在西方要對於東方文化別有一份欣賞，而東方的人則要能懂得西方文化。

個一切穩固而且凡事不變的世界，轉變成一個無一事確定，萬物變動不居的世界。

對於希望能從糟粕中突圍而出，找到更深層的意義、美感和品質的追尋者而言，達文西這位獨立思考者的守護神，招手呼喚你向前。

日新月異的變化，使得人們興起一股空前的追求自我成長、靈魂覺醒及靈性經驗的熱潮。舉世的「密傳資訊」都唾手可得，發動了一波追尋的海嘯。（一百年前，你可能得在印度翻山越嶺，才能學到如何冥想；今天，你可以在社區大學修課，從網路下載資訊，在附近書店琳瑯滿目的書籍中各取所需。）在此同時，由於資訊過剩，也使社會上瀰漫著憤世嫉俗、支離破碎和無助之感。我們的確比前人擁有更多的可能、更多的自由，以及更多的選擇。然而也比前人有更多的廢物、更多的平庸，以及更多的垃圾要過濾。

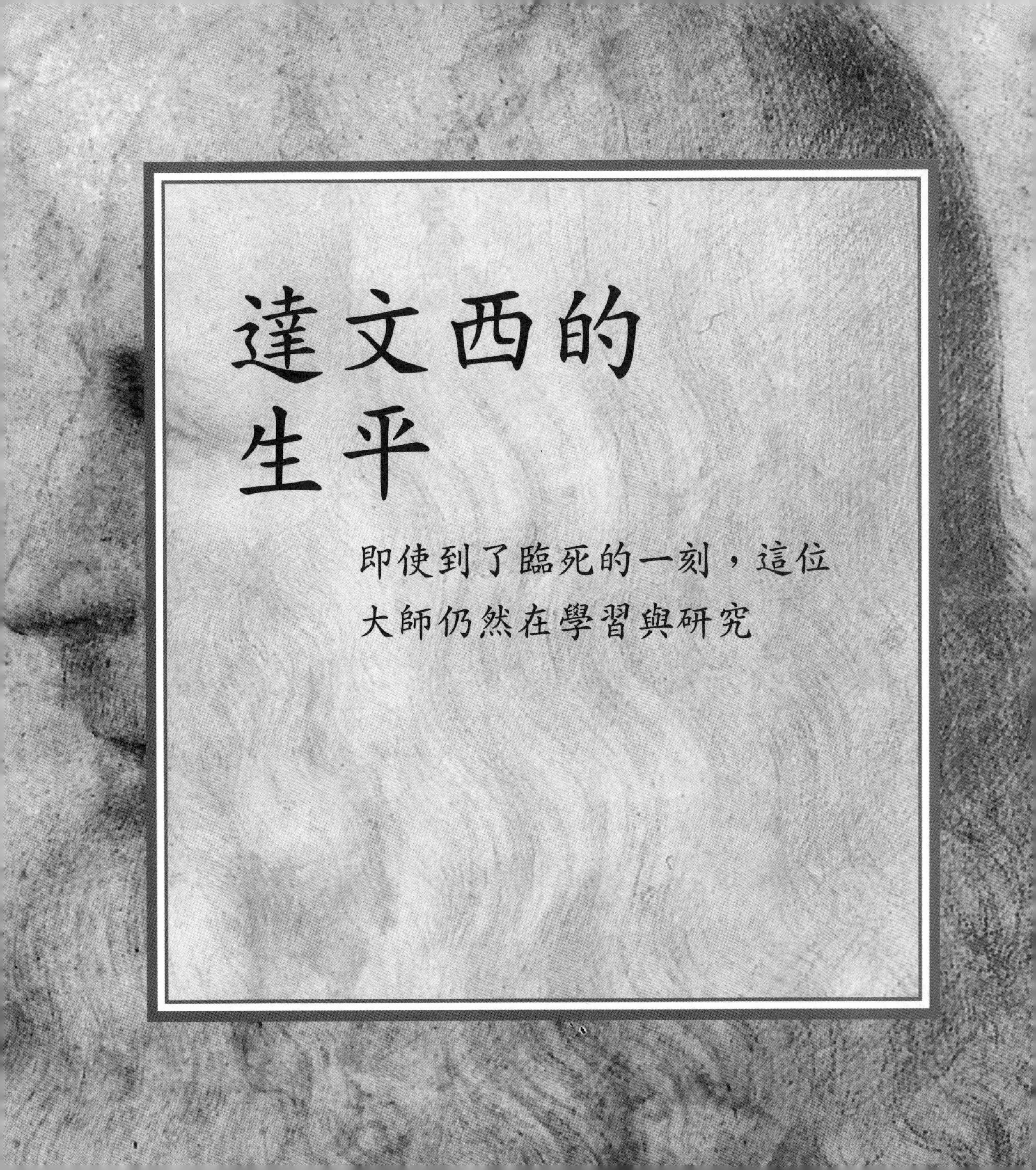

達文西的生平

即使到了臨死的一刻，這位大師仍然在學習與研究填過應徵表或寫過履歷表的人，想必格外能欣賞達文西在一四八二年寫給米蘭攝政魯多維哥・斯佛札 (Ludovico Sforza) 的信。這可能是古往今來最傑出的一封求職信：

主公明鑒：

在下見識過許多自詡為戰爭工具大師及發明家的諸多證據，發現他們的發明及上述工具實與一般常用工具並無二致。因此，斗膽在無損他人的情況下修書閣下，以便閣下明察在下的秘密武器，並在方便之餘隨時命在下示範這些物事，部分簡述如下。

一、我知道如何設計橋樑，既輕盈又堅固的橋，又攜帶方便……

二、當某地受到圍攻，我知道如何從壕溝把水流切斷，也知道如何建造無數的……雲梯和其他工具……

三、如果某處堤防因為高度及建物或地點的優勢，無法以轟炸征服，我知道用什麼方法可以摧毀任何城堡或要塞，即使它建於岩石之上。

四、我知道如何製造大砲，使用方便，容易運輸，能把小石頭像冰雹般激射而出……

五、如果發生海戰，我知道如何建造許多攻擊或防守的機械，也知道如何建造出能抵禦最重型大砲之砲火、粉末和硝煙的輪船。

六、我也有辦法經由洞穴和蜿蜒的秘密通道到達某一定點，不發出任何噪音——即使因情勢所需，要由……河底通過。

七、我也能製造有篷戰車，安全而難以攻擊，能夠載著大砲駛進嚴陣以待的敵兵，即使再強悍的武裝士兵也擋不住。步兵能夠尾隨這些車陣進攻，毫髮無傷，也不會遇到任何抵抗。

八、而且，如果情勢所需，我能製造大砲、迫擊砲及小型兵器，外表美觀又實用，與目前一般常用的大砲截然不同。

九、在無法運用大砲之地，我可以提供弩砲、投石機、陷阱和其他具有十足功效又不常用的機械。簡而言之，因應不同的情境所需，我能提供各式各樣不同的攻擊與防守機械。

十、在承平時期，我相信我在建築、公有及私人建築物的營造，以及從一地輸水到另一地等方面，最能使您心滿意足。

十一、我也能以大理石、青銅或泥土雕刻，也懂繪畫，我的作品較之任何人絕不遜色。

十二、此外，我能打造青銅馬像，它將能以永恆的光輝和榮耀，使閣下先王與斯佛札的顯赫家族長留青史。

如果上述任何事物看似難以置信或不切實際，我隨時聽候召喚，在閣下的花園或閣下屬意的場所進行試驗。謹致上無盡的謙卑。

最後他得到這份工作——不過，根據凡薩利的記載，達文西得以雀屏中選，原因可能是他的風範高雅，又是個音樂家，還懂得如何籌備和宴會，後者這兩項才能尤其使他廣受歡迎。天才如達文西者，竟會把時間用來設計遊行、舞會、戲服等等有如過眼雲煙的事物，著實令人吃驚。但就如藝術評論家克拉克（Kenneth Clark）所指出的，「此乃文藝復興時代藝術家在畫聖母像之餘的份內之事」。

在這封信出現之前的三十年——根據達文西祖父準備的文件指出——里奧納多‧達文西於一四五二年四月十五日星期六晚上十點半出生。他的母親凱特琳娜，是一名來自安其亞諾的農婦。安其亞諾是靠近文西小鎮的小村莊，離佛羅倫斯大約四十哩。他的父親皮埃洛‧達文西，是佛羅倫斯一位事業順利的會計師暨公證人，與他母親沒有明媒正娶。小達文西在五歲時被帶離凱特琳娜身邊，在也是公證人的祖父家裡長大成人。因爲庶出子女沒有資格加入公證人同業公會，因此達文西無法追隨父親與祖父的腳步。要不是這番命運的播弄，他極可能成爲有史以來最偉大的會計師！

初試啼聲

幸好，他被送到雕刻及繪畫大師維洛其奧的工作室當學徒。「維洛其奧」這名字，在義大利文裡的意思是「眞實之眼」，因其作品中能洞察人心的敏銳而得名，堪稱擔任達文西老師者的絕佳稱號。維洛其奧的傑作是〈威尼斯科雷翁尼將軍的騎馬像〉，不過，他最爲人知的作品要屬佛羅倫斯大宮殿中庭內的〈普托與海豚〉，以及位於巴格羅的大衛雕像。現在所知出於達文西之手的第一幅作品，是維洛其奧〈基督的洗禮〉畫中的天使，以及該畫左下方的一點風景。

凡薩利在《藝術家生平》*(The Lives of the Artists)* 一書中記載，維洛其奧看到弟

在十六世紀的佛羅倫斯，某位大師常會允許自己最有才華的學生完成自己畫作裡的細節。好幾個後世知名的畫家，吉藍達佑(Domenico Ghirlandajo)、佩魯吉諾(Pertro Perugino) 和迪雷第 (Lorenzo di Credi)等人，都是達文西在維洛基奧工作室的同門師兄弟。

爲達文西作傳的布藍利 (Serge Bramly)，寫下《達文西生平》這本精彩好書。他論及少年達文西與他老師作品之間的差異：「當〈基督的洗禮〉一畫以X光照射後，他 (達文西) 與維洛其奧作畫技巧就顯出天壤之別。做老師的仍然用白鉛 (它擋住X光，因此清楚顯示出來) 強調輪廓，以顯出浮雕的效果；但達文西塗上一層又一層薄薄的顏料，並沒有混合白鉛。他的手法平滑又流暢，根本看不出畫筆的痕跡。X光穿透他所畫的部分；天使的臉完全空白。」宛如他眞的創造了一位天使。

維洛基奧所做的羅倫佐・梅迪奇大人雕像

子作品中那股纖細、精巧又神秘的特質，就發誓「從今而後再也不碰顏料」。這話聽來像是出於恭敬的謙卑或是對自己的局限所表示的絕望，但極可能是維洛其奧做了一個事業上的決定，把更多的繪畫委託這位才華橫溢的門徒，自己則傾力製作更有賺頭的雕刻。

達文西早熟的才華，引起維洛其奧的主要顧客的注意，此人爲羅倫佐・梅迪奇大人（Lorenzo de' Medici, Il Magnifico）。達文西因此被引進羅倫佐所培養的哲學家、學家和藝術家人才圈中。有證據顯示，年輕的達文西在學藝時期曾住在梅迪奇家裡。

跟隨維洛其奧六年後，達文西於一四七二年獲准加入「聖路可協會」，這是一個由藥劑師、醫生和藝術家組成的同業公會，總部在聖瑪利亞・奴歐瓦醫院。達文西極可能善用了醫院的機會，加強了解剖學方面的學習。根據在這方面最具經驗者的推測，現藏於梵蒂岡畫廊那幅在解剖學上表現傑出的作品〈熱羅尼莫〉，以及藏於烏菲茲博物館的〈天使報喜圖〉，爲達文西在這段時期的作品。

我們可以想像達文西在十五二十時，如何帶著絲質的綁腿，身穿玫瑰色的天鵝絨長外衣，一

〈天使報喜圖〉。霧濛濛的背景，精細的植物研究，帶有光澤的捲髮，是達文西早期畫風的特徵。

頭金赭色的捲髮披在肩上，在佛羅倫斯街上溜達。凡薩利頌揚，「他奪目的外表，著實美麗出眾，使哀傷的人兒心頭舒坦。」達文西的儀態優雅美麗，善於說故事，有著幽默家、魔法師和音樂家的諸多才華，在年輕時候極可能是恣意享受生活的。但這一段無憂無慮的歲月，在他快過二十四歲生日時突然劃下休止符。他遭人逮捕，被送到佛羅倫斯政府的一個委員會面前，應答對其雞姦的指控。我們可以想像，一個心思纖細敏感的人，被控犯下一項在當時可以處以死罪的罪行，並被關進監牢，這是多麼劇烈的創痛。他自己這麼寫著：「人愈是敏感，就愈痛苦……痛苦無比。」

雖然這項控訴最後因爲證據不足而以不受理收場，卻種下了達文西離開佛羅倫斯的種子。然而，接下來幾年他還是接獲若干委託，其中有幾件還來自佛羅倫斯政府。截至目前爲止，他在佛羅倫斯的初期最顯著的作品，要屬他爲史科培多的聖多納多修士所作的〈三王禮拜圖〉。

米蘭歲月

一四八二年，達文西搬到米蘭。在魯多維哥「摩爾人」斯佛札的贊助下，他創作了生平傑作〈最後的晚餐〉，畫在聖瑪利亞・德・卡敏教堂的用膳廳，作於一四九五年到九八年之間。此畫以驚人的心靈力量，捕捉了耶穌說「你們之中將有一人背叛我」的那一刻。耶穌坐在桌中央，一臉祥和；他周圍的門徒則慌亂成一團。然而，達文西使用完美的幾何構圖，安排門徒以四個三人組合，分置於左右，位置有高有低，達成互相平衡，讓每個人的獨特性躍然紙上。透過達文西天衣無縫的秩序感及透視，耶穌基督的寧靜沈著表露無遺，與他周遭的人性、情緒和混亂形成強烈對比，而造就了藝術史上無可比擬的昇華。這幅畫雖然幾經修復，情況卻仍日益惡化，甚至因爲修復工作而更被破壞，不過，套用一句藝術史學家貢布里希（E. H. Gombrich）的話，此畫仍爲「人類天才的一大奇蹟。」

當達文西不需討好魯多維哥的宮廷，也不需創造超凡入聖

魯多維哥「摩爾人」斯佛札，米蘭攝政。

這幅畫就是〈最後的晚餐〉。想像一下，假如你是當時委託達文西做這幅畫的僧侶，你會怎麼看它。
藝術史學家貢布里希說：「宗教上的情節從來沒有 (像此畫般) 顯得如此近在眼前，這麼栩栩如生。」

把「鑑賞家」(connoisseur) 一詞引進英文的美國藝術評論家柏納．貝倫松 (Bernard Berenson)，稱達文西的〈三王禮拜圖〉(右圖) 爲「一幅眞正偉大的傑作」，並認爲「十四世紀的其他作品中，恐無出其右者」。

下圖是〈三王禮拜圖〉的草圖。

當達文西知道，他打算用來塑馬的青銅原料沒有著落時，他寫信給魯多維哥：「關於馬的事我不多說。因為我知道目前的時局。」

的繪畫時，他就忙著研究解剖學、天文學、植物學、地質學、飛行和地理，以及許多發明與軍事創新的草圖。很快的，他接獲了斯佛札一項重要的委託：打造一尊騎馬塑像，以紀念他的父親法蘭西斯哥．斯佛札，米蘭的前任大公。達文西周詳鑽研了馬匹的解剖學及動作，然後畫了一份草圖。今日評者咸認，若這個騎馬塑像還存於世間的話，極可能是史上最偉大的騎馬塑像。

達文西傾十年之力，建造了一個八公尺半高的模型；凡薩利說，這尊模型「其美麗和尊貴無與倫比」。達文西估計，鑄造這尊傑作需要用到八十噸以上的青銅融漿。可惜，青銅並沒有著落，因爲斯佛札需要用青銅來打造大砲，以抵擋入侵者。但是斯佛札輸了，一四九九年，法國人攻佔米蘭，迫使斯佛札流亡在外。法國的弓箭手把達文西這尊模型馬當成練習箭靶，而把它破壞無遺。這種毫無格調的舉動與野蠻的行徑，在歷史上，與奧圖曼大軍炸毀埃及獅身人面像的鼻子，以及威尼斯艦隊發射大砲擊中了希臘巴特農神殿，同享臭名。

〈聖母聖子與聖安娜〉

流離輾轉

魯多維哥戰敗了，意味達文西失去了贊助者和容身之處。他在一五〇〇年輾轉回到佛羅倫斯。翌年，他公布了一份〈聖母聖子與聖安娜，和嬰兒約翰〉素描草圖，委託人是服務修士（Servite Friars）。凡薩利描寫了大眾對這幅畫的反應：「不僅藝術家望之驚嘆，當畫被掛起來時……民眾扶老攜幼蜂擁來觀賞，好像節慶，整整兩天人潮不散，人人讚賞不迭。」雖然達文西沒有完成這幅作品，他的素描卻成爲另一幅作品的前身，也就是現藏於羅浮宮的細緻柔美的〈聖母聖子與聖安娜〉。

一五〇二年，達文西把注意力從對神聖女性美的莊嚴描繪挪開，應聘爲惡名昭彰的教皇陸軍指揮官波吉亞（Cesare Borgia）擔任總工程師。他在一五〇三年馬不停蹄，爲他的新贊助者波吉亞，製作了六幅準確無比的義大利中部地圖。儘管波吉亞擁有達文西的地圖和軍事發明，在戰場上卻是運道日衰。佛羅倫斯大公（Signoria）派遣馬基維利（Nicolo Machiavelli）擔任波吉亞的參謀，但連這位偉大的謀略家也無法挽救波吉亞的頹勢。然而，馬基維利在這段期間倒是與達文西交上了朋友；這份友誼使大師在一五〇三年回到佛羅倫斯後，有機會獲得佛羅倫斯大公的一個重要創作委託。

根據凡薩利的記載，達文西在勉力進行〈安加利會戰〉的同時，也爲一位佛羅倫斯貴族喬康多的第三任妻子畫了一幅畫像——這位貴婦伊利莎蓓特，別名蒙娜麗沙。此畫日後成爲歷史上最富盛名也最神秘的畫作。達文西帶著這幅畫回到米蘭，受雇於路易十二世的總督，安波瓦茲的查爾斯

(Charles d'Amboise)。他這是第二次留在米蘭，專注於解剖學、幾何學、水力學和飛行，同時爲他的贊助者設計及裝飾皇宮，製作紀念碑的設計圖，建造運河。在這段期間，達文西也設法畫了聖約翰像，以及麗達和天鵝。

一五一二年，魯多維哥的兒子麥斯米連 (Maximilian) 把法國人趕出米蘭，建立了短暫的王權，隨即被罷黜。達文西逃到羅馬，向新的麥迪奇教皇里奧五世 (Leo X) 尋求贊助，里奧五世的兄弟安排達文西在

魯本斯 (Peter Paul Rubens) 所臨摹的達文西作品〈安加利會戰〉

梵蒂岡得到一份津貼和住所。這位教皇愛好藝術，但因專注於他先前委託米開朗基羅和拉斐爾創作的作品，無暇顧及年已六十的達文西。達文西在這段期間幾乎沒有握過畫筆，而全心鑽研解剖學、光學和幾何學。不過，他見到了年輕的拉斐爾，並對拉斐爾產生深遠的影響。

達文西從梵蒂岡獲得的支持稍嫌冷淡，等到贊助者於一五一六年去世後，更是化爲烏有。達文西在要離開羅馬的時候，以失望的語氣寫著：「麥迪奇家族成就了我，也毀了我。」

神祕的晚年

達文西在一小群弟子和助手的陪伴下，一路從米蘭輾轉來到羅亞爾河谷的安波瓦茲，心知有生之年他不會再回到出生地。他在法國國王法蘭斯瓦一世（Francois I）的贊助下度過餘生。雖然達文西一生中有許多贊助者和仰慕者，卻也許唯有這位國王稍識達文西天才的舉世無雙。法蘭斯瓦給達文西一處優美的城堡和豐厚的津貼，讓大師自由自在思考及工作。雖然達文西的正式頭銜是「國王的畫家、工程師及建築師」，他的主要職責卻是與陛下對話、沈思及談玄論道。

根據確理尼（Benvenuto

針對達文西的不受教皇支持，曼徹斯特有如下評論：「在文藝復興時期的所有偉大藝術家中，達文西注定不得教皇恩寵……廣義來說，他對於中世紀社會的威脅，遠超過波吉亞家族。波吉亞家族殺的是人，達文西卻和哥白尼一樣，威脅到的是當時的一種態度，這種態度認定了知識已由上帝制訂完成。而這種僵化的態度，不容好奇心或創新的存在。達文西的宇宙觀……究其實，乃是對於愚昧的當頭重擊，而這愚昧使得一幫如黑手黨般的教皇褻瀆了基督教。」

Cellini）的說法，法蘭斯瓦「斷言世上無人如達文西一般多聞，且其博學不僅限於雕刻、繪畫和建築，因爲他也是一位偉大的哲學家」。

在法蘭斯瓦國王的贊助下，達文西研究不懈，但時不我予。多年的顛沛流離使他元氣大傷，然後一場嚴重的中風使他的右手報廢。達文西知道，自己來不及實現夢想，在死前統合所有知識。

達文西的最後時光，和他的大半生一樣，籠罩在神秘中，後人所知不多。他說過：「認眞度過一日，使人睡得安穩；努力付出一生，讓人死得安詳。」然而他又在別處寫著：「靈魂帶著滿懷的不甘，離開了肉體，其哀傷和怨嘆並非無由。」凡薩利告訴我們，當死亡將近，這個不信宗教但重視靈性修維的達文西，「渴望得悉天主教的一切儀式，以及此良善神聖的基督教之種種」。

里奧納多・達文西於一五一九年五月二日去世，享年六十七歲。凡薩利說，達文西在去世前幾天充滿悔恨，向「上帝及世人抱歉，留下這麼多未竟之作」。然而，達文西在生命終結之際也寫下：「我將繼續」，「我從不厭煩對人有用。」在凡薩利筆下，達文西在法國國王懷裡溘然長逝之際，還在以科學精神進行觀察，並描述自身疾病的性質及症狀之細節。有些學者宣稱，根據歷史文獻記載，達文西臨終時，法蘭斯瓦國王正在其他地方，但此說的證據不夠周全，所以凡薩利可能說得沒錯。不過，不管實情如何，我們很可以相信，即使到了死亡的那一刻，這位大師仍然在學習與研究。

達文西的一生，有如一張謎樣的繡帷，由弔詭織成，以諷刺染色。從各位先生女士，準備要開打囉。歡迎來到維基奧宮殿 (Vecchio Palazzo) 的大廳，參觀一場空前絕後的世界杯重量級繪畫大賽。在右邊牆上，將會由穿著一身破爛罩衫，鼻子歪到一邊的挑戰者，米開朗基羅，畫出〈卡斯基納會戰〉。而在另一邊，穿著註冊商標的玫瑰色長衫，捲曲的金色鬍子梳得一絲不苟的衛冕者，達文西，則要在牆上畫下〈安加利會戰〉。

感謝馬基維利的影響力，這一場比賽真的發生過。這場「會戰」之戰，絕對是如假包換的佛羅倫斯事件，顯露當時城中父老銳意較勁的態度，孜孜著眼於要以什麼傳世。令人惋惜的是，我們現在只能從草圖、複製品和文字記載來認識這兩件作品。達文西想實驗，能否把油畫顏料固定在牆上，卻告失敗；作品開始敗壞，他留下這幅未完成之作，於一五〇六年回到米蘭。米開朗基羅則奉教皇朱立斯二世 (Julius II) 之召趕回羅馬，只留下素描的草圖。然而，這兩幅未完成的作品對日後藝術產生深遠的影響。根據克拉克的說法，「達文西和米開朗基羅的戰爭壁畫草圖，是文藝復興的轉捩點⋯⋯他們開創了到十六世紀時發展出的兩種繪畫風格：巴洛克風格和古典主義。」

到底是由誰贏得了這場會戰之戰呢？克拉克讚嘆達文西的巴洛克風格，並稱頌他對於馬匹和臉龐的描繪無以倫比；但同時他也強調，當時的人可能比較喜歡米開朗基羅，因為他筆下的古典裸女個個美麗得無以復加。我們知道米開朗基羅曾在筆記本上臨摹達文西的部分草圖，而達文西也受到這位年紀較輕的對手影響，為自己筆下的裸女增添幾分英氣。因此我們說，這場比賽的結果，平分秋色。

來沒有一個人像他這般涉足如此多領域，然而大部分的作品都沒有完成。他一直沒有完成〈最後的晚餐〉、〈安加利會戰〉和斯佛札的馬像。他只有十七幅作品傳世，其中有一些是未完成的作品。雖然他的筆記本記了許多精彩的資訊，卻從來沒有如他所願，加以整理，然後出版。

> 「達文西好比一個早起的人，但見天色猶暗，衆人皆沉睡。」這個比喻，是小說家梅瑞茲柯夫斯基(Demitry Merezhkovsky) 所提出來的。他曾寫過一本叫做《達文西之愛戀》*(The Romance of Leonardo da Vinci)* 的傳記式小說。

達文西爲何留下這麼多未完成的作品？學者們曾經從社會、政治、經濟及心理性慾等層面提出各種解釋。有人甚至稱他爲失敗者，因爲他有太多東西沒有完成——然而，菲立普森 (Morris Philipson) 教授提出了一個論點，相當令人心服，他說，批評達文西爲失敗者，就像批評哥倫布爲什麼沒有發現印度。

不過菲立普森和其他學者似乎都同意，不管作品多重要，更重要的是達文西這個人。達文西，乃是「知其不可爲而爲之」的最極致典範。

達文西的主要成就

若想要公允評價達文西的各項成就，得寫一本百科全書才做得到。不過，我們可以從藝術、發明、軍事工程和科學等方面，一窺他最引人注目的成就。

在拉斐爾的傑作〈雅典學園〉中，哲學之王柏拉圖的形象，據說是以達文西爲藍本。

藝術家達文西，轉變了藝術發展的方向。他是第一位把風景變成繪畫主題的西方藝術家。他率先使用油畫顏料，應用透視法、明暗對比、輕霧渲染法，以及許多創新又影響深遠的方法。

達文西的〈蒙娜麗沙〉和〈最後的晚餐〉，是舉世公認的兩幅偉大繪畫。當然也是最富盛名者。但達文西也創作了其他美妙的繪畫，例如〈石窟的聖母〉、〈聖安娜〉、〈三王禮拜圖〉、〈施洗者約翰〉，以及掛在美國國家藝廊的〈日內瓦．德班契畫像〉。

達文西的繪畫作品很少，素描的數目卻非常多，而且同樣精彩絕倫。和〈蒙娜麗沙〉一樣，〈人體比例圖〉也是家喻戶曉的圖像。他在〈聖安娜〉與〈最後的晚餐〉中十二使徒頭像所做的研究，以及對於花草、解剖、馬匹、飛行和流水的素描，在在無可匹敵。

達文西也以建築和雕刻知名。他的建築作品大多著重設計的通則，雖然他的確也爲好幾件實際企畫作顧問，其中包括米蘭和帕維亞的大教堂，以及法國國王位於布洛瓦的城堡。儘管有好幾件雕塑據傳是他的作品，但眾學者一致同意，眞正出於達文西之手的，只有佛羅倫斯浸禮堂北方大門上的三件青銅作品。〈施洗約翰對朌末人和法利賽人講道〉，是達文西與雕刻家魯斯提奇 (Rustici) 的聯手之作。

發明家達文西，設計過飛行機器、直昇機、降落傘的草圖等等許多神奇發明，例如伸縮梯（今日消防隊員仍在使用）、三段變速桿、爲螺絲切線的機器、腳踏車、可調式活動扳鉗、潛水用呼吸管、水壓起重機、世界首

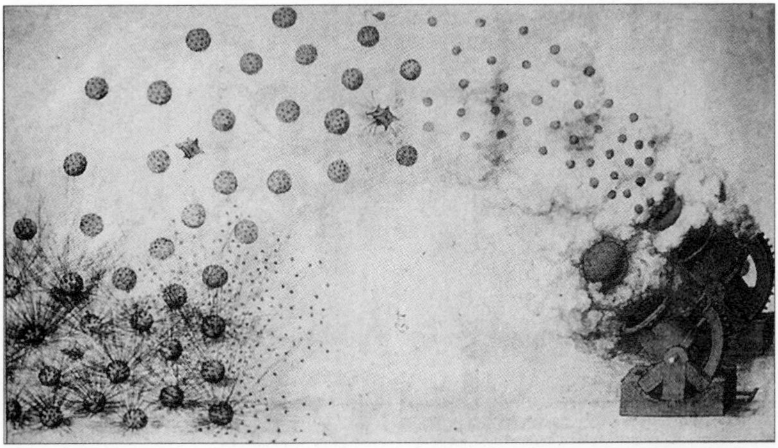

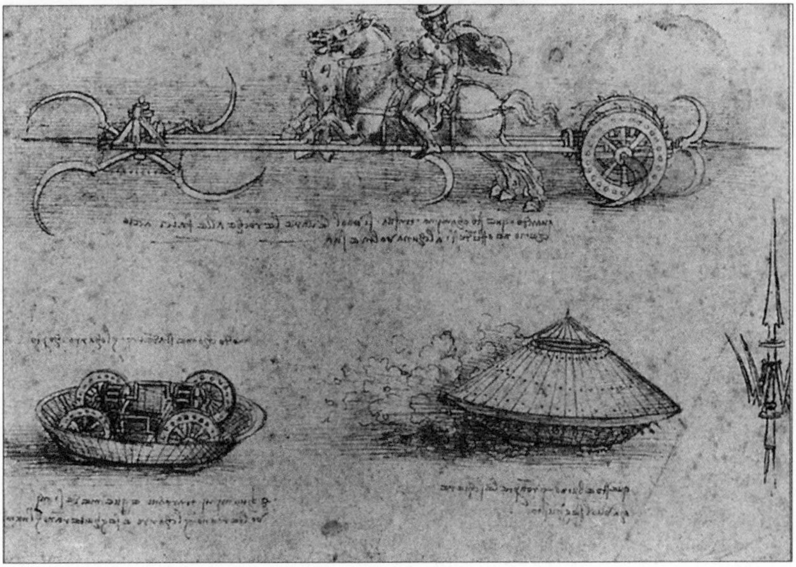

上：達文西所設計的迫擊砲，創意十足。
下：鐮刀馬戰車與「坦克」

創的旋轉舞台、運河系統的水門、水平式水車、折疊家具、橄欖榨油機、許多自動彈奏的樂器、水力鬧鐘、治療用搖椅，以及清洗溝渠的起重機。

在所有的發明當中，達文西最可以爲「自動化」這個觀念居功。他設計了無數可以省力又能增加生產力的機器。有些機器的確不切實際，不過有些發明如自動織布機，卻是工業革命的前兆。

軍事工程師達文西，所畫出的武器設計草圖，一直到四百年後才派上用場，包括武裝坦克車、機關槍、迫擊砲、導引飛彈和潛水艇。然而，就我們所知，沒有一項武器在他生前曾被用來傷人。他是一位和平主義者，視戰爭爲「野蠻的瘋狂」，並認爲流血衝突是「窮凶惡極」之事。他曾經寫道，他所設計的戰爭工具，是要用來「保存大自然的首要禮物：自由」。有時候，他並不情願公布這些工具，曾在設計圖上附上一行字：「人性邪惡，我不願意向外洩漏或公開發表這項武器」，從這些話當中可見他的矛盾心理。

科學家達文西，這是學術界一個熱門的辯論話題。有些學者認爲，如果達文西整理了他的科學思想並寫成書出版，應該會對科學發展產生重大影響。也有人說，達文西實在超前他所處的時代太多，就算他可以把研究整理成凡人能懂的通論，也不會受人看重。雖然說達文西的科學最應被欣賞的，是他的「追求眞理」此一本質，但大多數的學者還是同意，達文西對於下列幾項學科有可觀的貢獻：

一、解剖學

◎他開拓了現代的比較解剖學。
◎他是第一位素描身體橫剖面器官的人。
◎他的人體和馬匹素描最鉅細靡遺。
◎他對於子宮裡的嬰孩做出史無前例的科學研究。
◎他率先做出頭腦和心室的模型。

二、植物學

◎他開拓了現代的植物學。
◎他描述了向地性（地球對於某些植物的引力），以及向日性（植物朝向太陽的吸引力）。
◎他注意到樹木的年齡與橫剖面的年輪有關。
◎他率先說明植物中樹葉排序的系統

三、地質學與物理學

◎他對於化石作用有重大的發現，也是記錄土壤侵蝕現象的第一人。他曾寫下：「河川啃蝕山脈，塡滿河谷。」
◎他的物理學研究，爲現代的流體靜力學、光學和機械學鋪下道路。

達文西的探究，是許多重大科學發現的先聲，包括哥白尼、伽利略、牛頓和達爾文等人所做的突破。

在哥白尼之前四十年，達文西以大寫字體強調「太陽並不移動」，並說，「地球並不是太陽軌道的中心，也不是宇宙的中心」。

在伽利略之前六十年，達文西就指出，應該利用「一種大型的放大鏡」來研究月球和其他天體的表面。

在牛頓之前兩百年，早在引力論問世之前，達文西就曾寫下：「所有重量都會以最短的方式朝中心落下。」在別處他又認爲，因爲「每個沈重的物質都會往下壓迫，無法一直被往上舉，因此整個地球必定是球體」。

在達爾文之前四百年，達文西把人類與猴子和猩猩歸爲同類，謂「除了偶發事物之外，人與動物並無二致」。

在這種種成就之上，達文西對於知識的方法與態度，促成了現代的科學思考。

第二部
七種天才

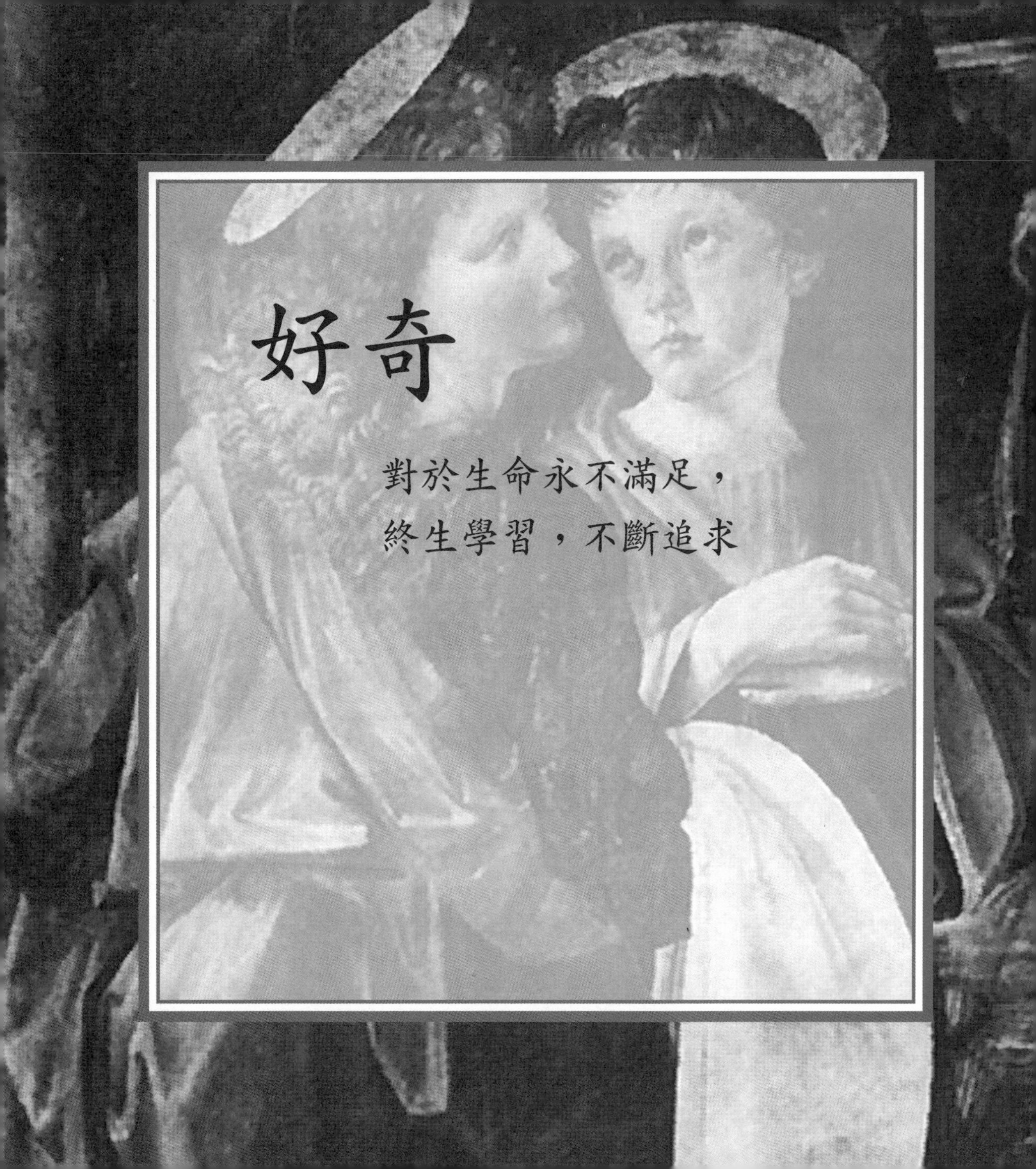

好奇

對於生命永不滿足，
終生學習，不斷追求

「好人天生想要了解事物。」

(達文西語)

每一個人生下來都是充滿好奇心的。好奇，奠基於一股天生的衝動，那引導你欲罷不能非要把書讀到最後一頁不可的衝動，那想要學習更多的渴望。好奇心人皆有之，而我們所面對的挑戰是，如何運用並培養好奇心，以造福自己。在生命最初幾年，我們的頭腦對於知識如饑如渴。打從呱呱落地那一刻起——有些人甚至說在出娘胎以前——嬰兒的每一種感官就打算要探索與學習。他們像是小小科學家，嘗試並實驗著周遭的一切事物。當小孩開始牙牙學語，會追問一個又一個問題：「媽咪，這要怎麼用？」「我爲什麼會出生？」「爹地，小嬰兒是從哪裡來的？」

達文西從小就對周遭世界充滿強烈的好奇。他深深爲大自然所迷，也展露不凡的繪畫天賦，並熱愛數學。在凡薩利的書中寫到，年幼的達文西對數學老師提出獨具創意的問題，使得「教授他的老師時生懷疑，難於招架，經常不知所措」。

偉大的頭腦老是提出使人費解的問題，終其一生不斷提問，而求知的程度熱烈不改。達文西一輩子裡，像個孩子般對任何事都感覺驚訝，好奇心永不滿足，涉獵的範圍既廣泛又深刻，並且很能質疑既定知識。達文西成年之後，好奇心一直是他天賦的活水源頭。

達文西的動機何在？普立茲獎得主布爾斯丁 (Daniel Boorstin) 在《創造者：想像力英雄列傳》*(The Creators: A History of Heroes of the Imagination)* 一書中，告訴我們哪些不是達文西的動機。「不同於但丁，他 (達文西) 對女人毫無熱情。不同於喬托、但丁或布魯內勒斯基，他似乎沒有當一個公民的忠誠。他也不崇拜教堂和耶穌基督。他情願接受創作委託，從麥迪奇、斯佛札、波吉亞或法國國王——教皇或他們的敵人。他沒有薄伽丘或喬叟般的肉欲世俗，沒有哈伯雷 (Rabelais) 的放誕無稽、但丁的虔誠，或米開朗基羅的宗教熱情。」反之，達文西的忠誠、虔敬和熱情，完全奉獻給對於眞理和美感的追求。就如佛洛伊德指出的，「他把熱情化爲追根究底的精神」。

達文西並不是只鑽研正規的研究；他的追根究底精神，還指引並增進了他日常生活中的體會。達文西在筆記本裡有這麼一段典型的句子：

> 你難道沒有看出來，光是人本身的行動就有多少變化？君不見，世上有多少種動物、樹木、植物和花朵？有多少不同的山丘或平地、泉水、河流、城市、公共和私有建築？適合人們使用的工具有多少種，又有多少不同的服飾、裝飾品和藝術？

在別處他又說道：

> 我漫步鄉間，為我所不了解的事物找尋答案。為什麼，在山頂出現的貝殼，卻帶著通常在海裡才會發現的珊瑚、植物和海草遺跡？為什麼雷聲持續的時間比引發它的時間還要久？為什麼閃電一出現就映入眼簾，雷聲卻要花更長時間才會傳到耳際？石子丟入水中，如何形成一圈圈的水紋？為什麼鳥類能停留在空中不墜？這些問題和其他奇怪的現象，引我不斷思索。

達文西亟欲了解事物的本質，這使他發展出一種探究的風格，而他所研究的深度和題材的廣泛一樣值得注意。克拉克認爲他「無疑是舉世最好奇的人」，並說達文西的追尋是毫不妥協的：「他不會因爲已經得到了一個肯定的答案就罷休。」例如，達文西在做解剖調查時，至少會從三個不同的角度解剖身體的每個部位。誠如達文西自己寫的：

> 我所描繪的人體，能使你一目了然，彷彿你眼前擺了一具真實的人體。原因是如果你想徹底從解剖學來了解人體的部位、你本人，或你的眼睛，就需要從不同的角度來審視，從上下左右各方面來考慮它，轉動它，並尋找每一個部位的起源……因此，透過我的素描，能使你知曉每一個部位，每一部位都由三個不同的觀點做各種呈現。

還不止於此。達文西以同樣的嚴謹態度，研究萬事萬物。例如，如果多重透視能加深對身體的了解，也就能幫助他衡量，要不要向別人透露這份了解。這麼做的結果：一層又一層的嚴謹的檢視，不但使他獲得了愈來愈精純的了解，也精鍊了表達出這些理解的方式。如同他在〈繪畫論〉中的解釋：

> 我們都心知肚明，挑出他人作品的錯誤簡單，想承認自己作品的錯誤反而難……畫畫時，應該拿一面鏡子，用它來看自己的作品。這樣子觀看，畫面會左右顛倒，好像是別人的作品，如此你更能看出它的錯誤。

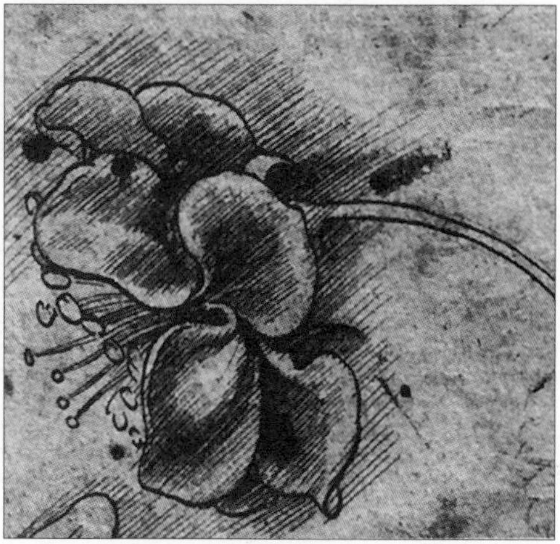

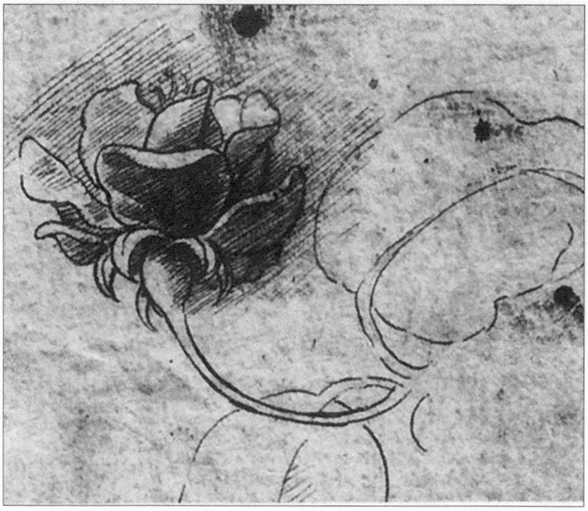

達文西對一朵花所做的三種描繪

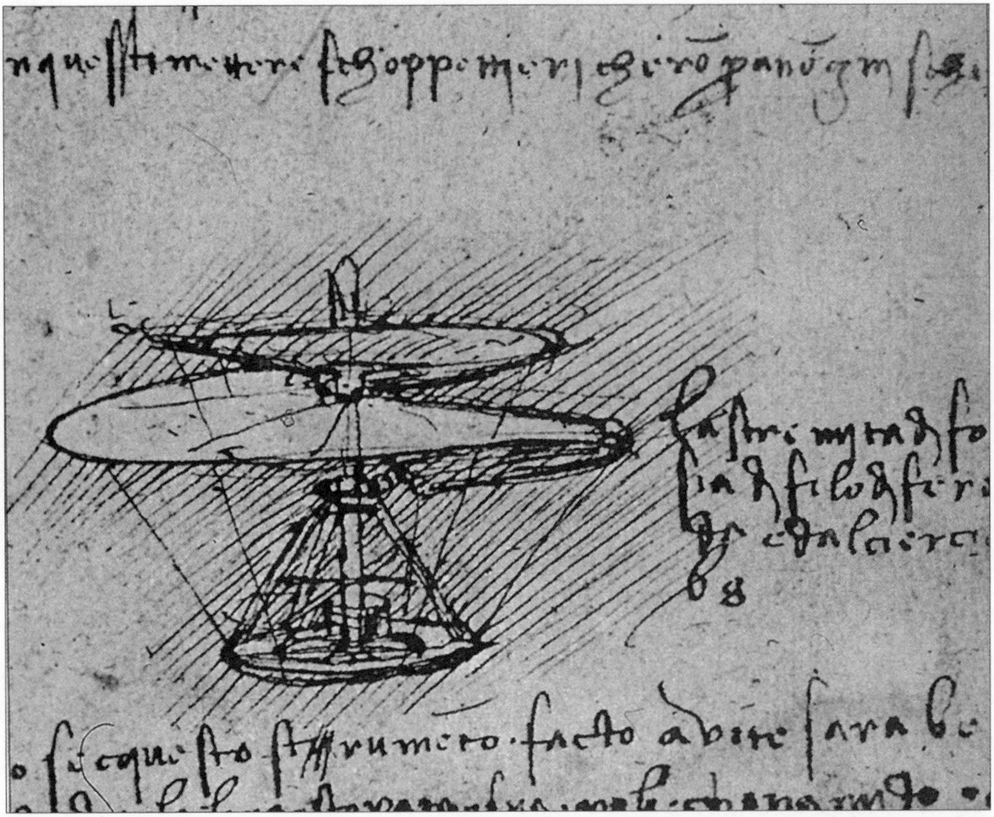

達文西設計了直昇機 (上圖) 和飛行機器，還開發了降落傘：「如果一個人有一頂亞麻帳棚，其中所有的隙縫都被堵死，尺寸是十二腕尺寬，十二腕尺長，他就能從相當的高度縱身躍下而沒有大礙。」達文西對於降落傘的研究尤其驚人。在他那個還沒有人能飛的時代，他就設計出安全逃出飛行機器的設備。更不可思議的是，達文西爲降落傘所設計的比例，是唯一有效的比例。

(譯按：腕尺是從前的長度單位，一腕尺是指由肘到中指尖的長度，約四十五至五十六公分。)

「事實上，對於某件事物的深愛，來自於對那件事物的深刻認知。」(達文西語)

他不願意只用一種策略來客觀評估自己的作品。他說：「不時離開你的作品，放鬆一下，這不失爲一個好方法；因爲當你再次回到作品面前，你的判斷會更明確。一直陷在工作裡面，會使你失去判斷力。」

最後他建議：「隔一段距離來看作品，也是很明智的作法，因爲這樣看作品，它會變小，更能一覽無遺，也比較容易看見哪裡不夠和諧或比例不對，以及物體的顏色如何。」

他對於眞理的無盡追求，也激勵他從不尋常和極端的角度來看待現實；帶著他潛下水（他設計出通氣管、潛水設備和一艘潛水艇），也飛上天（他設計出直昇機、降落傘和著名的飛行機器）。懷著求知的激情，他簡直上窮碧落下黃泉。

達文西對於飛行的迷戀（見諸他對於大氣、風，特別是鳥類動作的研究），正可以做爲其生平及作品的絕佳比喻。他在筆記本的某一頁描繪一隻籠中鳥，圖說是「心心念念想著希望」。他觀察到一隻母金翅雀見自己的雛鳥被關進籠中，就以有毒的植物餵食他們，而饒富詩意地寫下「不自由，毋寧死」。

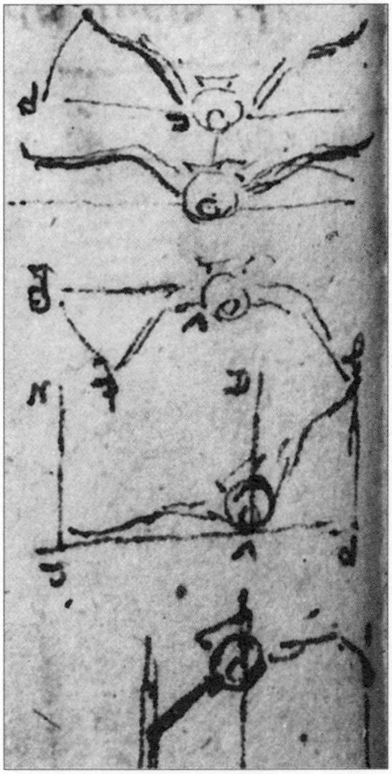

達文西對飛鳥所做的研究

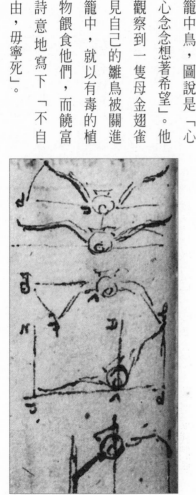

凡薩利說，達文西平日在佛羅倫斯街上散步，常會遇到商人賣鳥。他會停下來，小販叫價多少就付多少，然後打開鳥籠，把鳥兒釋放到無盡的穹蒼。對於達文西而言，追求知識，便爲他打開了通向自由的大門。

好奇與你

偉大的心靈提出偉大的問題。從我們每天被什麼問題「佔滿心思」，可以反映出我們的生活目標，也影響我們的生活品質。若能培養出和達文西一樣開放而好問的心胸，我們就能擴展自己的心靈天地，並增進我們悠遊於其中的能力。

你打開通往自由的大門了嗎？下列的練習，正是要來幫你打開這扇大門。不過，請先花一分鐘沈思：目前，你經常運用你的好奇心嗎？運用得有效嗎？如果你多多運用好奇心，會有什麼好處？想一想，好奇心在你今天生活中扮演什麼角色。問問自己，好奇的程度有多高。你上一次純粹爲追尋眞理而追求知識，是在何時？從這項努力中你獲得什麼？想一想你認識的人當中，你認爲有沒有人堪稱「好奇寶寶」的最佳典範？此人的生活因而變得更豐富嗎？

開發與運用好奇心，可能會出乎你意料外的容易。首先，完成下一頁的自我評量表，從你的答案你會知道，自己目前運用好奇心的情況如何，有無改善空間。然後再進行接下來的簡單練習，動手培養你的好奇心。

達文西筆記本的文字都是左右顛倒，要對著鏡子閱讀。這種「寫反字」的目的為何，學者辯論不休。有人說他是為了保護思想不被別人知道，也有人辯稱，對於左撇子來說，這麼寫比較方便。

好奇：自我評量表

□我有寫日記或記筆記的習慣，記下看法和問題。

□我會花充分的時間沉思並反省。

□我不斷學習新東西。

□面對一項重大決定時，我會積極尋找不同的觀點。

□我大量閱讀。

□我從小孩子身上學到東西。

□我擅長於發現問題，並且解決問題。

□朋友說我胸襟寬闊，是個好奇寶寶。

□聽到或讀到新字或新名詞時，我會查字典，然後記下來。

□我對於其他文化所知甚多，也一直還想多了解一些。

□在母語之外，我還會別的語言，或正在學習另一種語言。

□我會向朋友或同事探詢意見，或從人際關係中了解對方的反應。

□我熱愛學習。

應用和練習

養成寫日記或記筆記的習慣

達文西隨身攜帶一本筆記本，以便隨時記下靈光乍現的想法、印象或觀察。達文西的筆記本現存七千頁，許多學者估計，這大約是他在遺囑中說要留給梅爾吉 (Francesco Melzi) 的半量而已。他的筆記本裡，包括笑話和寓言、他所仰慕的學者們的觀察和想法、個人的財務記錄、書信、對於國事的省思、哲學性的沈思和預言、發明的草圖，以及關於解剖、植物、地質、飛行、水文及對於繪畫的論述。

他常常把不同主題的筆記潦草寫在同一頁，許多觀察心得也在好幾個地方重複出現。當然，筆記裡畫滿精彩的素描、塗鴉和插圖。他曾想過有朝一日要把筆記整理出版，卻一直沒有做。他實在太忙於探索真理和美感了。

對於達文西來說，記錄問題、觀察和想法的過程，是最重要的。

你也可以像達文西一樣，藉由記日記或筆記來促進好奇心。找一本內頁空白的筆記本或日記本，可以是在便利商店買到的便宜筆記本，也可以挑選封面有漂亮圖案的精美筆記本。但不管你用的是哪一種筆記本，都要記得隨身攜帶，也要經常寫。你還可以利用剪貼簿或檔案夾來收錄多方面的興趣，以補充筆記本的不

「本選集內容並無次序，乃由許多論文集成，我把它們抄寫在這裡，希望以後能夠根據討論的主題依序安排；我相信，我對同一件事一定會重複好幾次，對此啊，讀者們，請勿見怪。」(摘自達文西筆記中論物理的第一頁)

足。從報章雜誌剪下文章，或從網路下載資訊，只要是你喜歡的主題都好，科學、藝術、音樂、食物或健康等等不拘。

就如達文西一樣，你可以用筆記本記下你的問題、觀察、洞察、笑話、夢境及沈思(要不要寫反字，悉聽尊便)。

忙碌的生活和工作責任，很容易逼得我們尋求斬釘截鐵的結論和可衡量的結果。不過，像達文西這樣的寫筆記方式，自由探索，想寫就寫，無所謂完成，不下定論，能鼓勵自由自在的思考並且擴展視野。請仿照大師這種作風，無須擔憂次序和結構邏輯，只管寫就好。

在你的筆記本上，試著做一做從下頁開始的幾種練習。

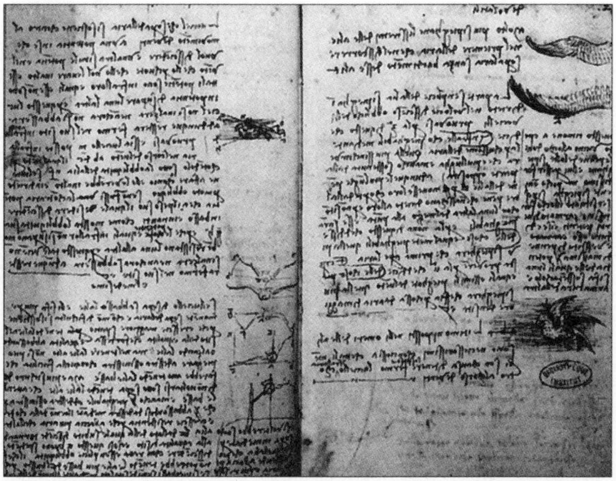

1994年11月，電腦大亨比爾·蓋茲以三千零八十萬美元的高價，購得達文西的十八頁筆記。

一、一百個問題

在你的筆記裡寫下一百個你覺得重要的問題。問題可以無所不包，只要你覺得有意義就行：可以是「如何存更多錢？」或「如何活得更有趣？」到「我存在的意義和目的是什麼？」

一鼓作氣，一次寫完。振筆疾書，不要擔心拼字或文法正不正確，也不要管是不是以不同的說法重複了某個問題，因爲假如有問題重複出現，會使你警覺到呼之欲出的主題。

爲什麼要寫一百個問題？因爲前二十幾個問題會是「你不假思索的問題」。在接下來的三、四十個，主題就會開始浮現。而到了清單的後半段，你可能會發現意想不到卻非常深刻的素材。

寫完後，從頭到尾讀一遍，把逐漸浮現的主題標出來。思考這些主題，但不要批判。

你大部分的問題都是些什麼？關於人際關係？還是事業？樂趣？金錢？生命的意義？

二、十大問題

重讀一遍你這一百個問題。然後，選出十個看起來最有意義的問題，然後依重要性從第一排到第十。（當然，你隨時可以增加新問題或改變次序）。不要馬上針對問題提出回答；先只把這些問題寫在一個容易找到的地方，已經很夠了。

三、最主要的十大主力問題

下列問題，取自不同人士的「十大榜單」。這些問題對於個人的成長和實踐都是強力的催化劑。把它們抄在筆記本上，作爲你反省的參考：

1. 我什麼時候感到最自在？什麼樣的人或事情或活動，最能讓我展現自然的自己？

2. 有哪一件事，是我從今天起停止不做，或開始做，或以不同方式來做之後，最能增進我的生活品質？

3.我最大的才能是什麼？
4.我要如何用自己喜歡做的事來賺錢？
5.誰是對我最有激勵作用的榜樣？
6.我如何對別人提供服務？
7.我內心最深切的渴望是什麼？
8.在我最親密的朋友、最交惡的敵人、我的老闆、孩子、同事等人心目中，我是怎麼樣的人？
9.我生命中的哪些東西是上天的恩賜？
10.我希望在死後留下什麼樣的東西？

四、鳥兒如何飛翔？

從達文西孜孜思索的問題中，我們挑選一個來練習：飛鳥、流水、人體、一處風景、反光、一個結或穗帶。在你的日記中，至少對此提出十個問題。同樣的，無須寫出答案；對於好奇心來說，看重的是**問題**。例如：鳥兒如何飛翔？爲什麼鳥兒有兩隻翅膀？爲什麼鳥兒長滿羽毛？鳥兒如何「起飛」？鳥兒如何減速？鳥兒如何加速？鳥兒能飛多高？鳥兒何時睡覺？鳥兒的眼力有多好？鳥兒吃什麼？

然後，從你個人的生活或工作中挑出一個主題，如法炮製，提出十個與你的事業、關係、健康有關的問題。在日記本寫下你的問題。先不要寫答案，只要寫問題就好。

「羽毛把鳥兒托向天空；羽毛也將把人類向上抬舉——透過羽毛翎管，寫下崇高的思想。」(達文西語)

主題觀察

依循一項主題來寫筆記，有助於讓好奇心有一個焦點。嘗試爲某一天的筆記內容挑選主題，在筆記本上記下你的觀察，然後在這一整天中隨時隨地摘記想法，或先記住，等到臨睡前的安靜時段再寫下來。力求觀察精準而單純。臆測、意見和理論都很好，但實際的觀察是最豐富的資源。

你的一百個問題清單或主力問題，可以爲這項練習提供許多主題。你可以任選下列一項最受歡迎的主題：情緒、視覺、聽覺、觸覺、美感和動物。你可以自己做練習，或和一位朋友挑選一個主題，到晚上再互相了解一下，對方寫了些什麼。

沈思練習

在簡短口號當道的年代，沈思變成一門被遺忘的藝術。注意力的持續時間愈來愈短，靈魂飽受折磨。在英文裡，所謂「沈思」(contemplate)，根據韋伯大字典的定義，是指：「以持續不斷的注意力注視，或深深思考。」此字的字根 "*contemplari*"，意思是「畫出殿堂的界限」("*con*"，一同。"*templum*"，殿堂或廟宇)，或者是「專注觀看」。

從前面幾頁的練習中任選一個問題，例如：什麼樣的人或事情或活動，最能讓我展現自然的自己？在腦中默想一段時間，至少十分鐘。做這項練習的一個好方法是拿一大張紙，用粗體大字寫下問題，然後：

主題練習的範例

我的朋友邁可是一位劇場導演、演員指導，並教授亞歷山大技巧和瑜珈，從事主題練習二十五年有餘。他慷慨答應我，從他的筆記本摘出下列這則未經修改的筆記與大家分享：

1998年1月10日。主題：與實體接觸。

早上7:40：注意到腳剛接觸到地板時，腳的質地和感覺。與地板的接觸支持著我，使我在今天第一次站起來時能伸長身體。

早上8:20：刷牙時，右手太用力握牙刷，這股張力蔓延到整隻手臂和肩膀，造成脖子緊張。照鏡子，注意到自己彎腰駝背。

早上10:30：用力夾著電話筒，把脖子歪向右邊，造成手臂和肩膀疼痛。跟我對握牙刷的觀察很類似。太用力握住一樣東西……為了我心愛的生命著想。

下午4:30：匆匆忙忙吃三明治時，發現自己狼吞虎嚥，根本沒注意在吃什麼。問題出在速度，這使我食不知味，甚至不知道三明治裡夾了什麼東西。

下午5:30：我也注意到今天的日落，當陽光接觸我臉頰，我便放慢了速度，看到我前方的景物(也就是使我更活在當下)。

晚上9:30：整理今天的信件。必須花時間處理垃圾信件 (有形的垃圾)。感覺我以前和現在的生活都花在整理、歸檔和處理有形的東西。我變成這些東西的看護。

晚上10:30：我正握著寫字的這枝筆，發現幾乎不用花什麼力氣就能寫出字。這枝筆不須多花力氣推動就很好寫。

★找一個安靜隱蔽的地方，把這張紙掛在你面前的牆上。

★放鬆，深呼吸，徐徐吐氣。

★帶著問題靜靜坐著。

★當你的心思開始亂飄，就大聲把問題念一遍，以此把思緒抓回來。

在上床睡覺前及早上一醒來時做這個沈思練習，效果特別棒。你會發現，如果你眞心誠意做這項練習，你的頭腦經一夜「醞釀」，會有所領悟。

意識流

意識流寫作與沈思相輔相成，也是針對你問題加以窮究的絕佳工具。任選一個問題，把冒出來的想法和聯想寫在筆記本上，不做任何修整。

至少花十分鐘寫下你的反應。有效的意識流寫作訣竅在於讓筆一直動著，筆尖一刻也不要離開紙面，也不要停下來檢查你的拼字和文法，不斷振筆疾書就好。

意識流寫作會產生一大堆胡言亂語和重複累贅，卻能導向深刻的領悟和了解。不要擔心好像滿紙不知所云，假如是不知所云，正表示你在突破慣性而膚淺的思考。假如你能堅持下去，振筆疾書，終會打開一扇窗，你的直覺智慧將從中閃耀。

★在每一節意識流寫作後，休息一下。

★回到筆記本，大聲唸出你所寫的一切。

★特別強調對你而言最有力的字或詞。

★尋找主題，尋找詩的開端和更多問題。

★沈思某位詩人的座右銘：「寫於酩酊，清醒後修改。」

前述的沈思和意識流的練習，都是解決個人問題和職業問題的絕佳工具。接下來，讓我們更進一步思考好奇心在解決問題時所扮演的角色。

以創意解決問題

回想你的求學時代。我們都記得，好奇心把貓怎麼了（譯註：西諺有云，"Curiosity kills the cats"，直譯爲「好奇心殺死貓」，謂人若太過好奇，可能招禍上身）。但那些最愛發問的孩子後果如何？工作過度、不勝其擾的老師，常愛說一句話：「我們沒有時間回答這些問題；我們必須把課程教完。」現在，老愛問東問西的人會被診斷成「注意力失調」(Attention Deficit Disorder) 或「過動兒」，需要服用藥物。如果年輕的達文西生在今天，等他上了小學，可能得接受藥物治療。

我們每一個人，生來都具備和達文西一樣強烈的好奇心，但大部分人一進學校受教育後，就學到一件事：答案比問題重要。大致說來，學校教育並不開發好奇心，不培養對曖昧不明的喜愛，不訓練發問的技巧。相反的，學校獎勵的是如何找出「正確答案」；也就是權威人士（即老師）所抱持的標準答案。這種模式一直延伸到大學和研究所與博士後教育，如

天空為什麼是藍的？達文西的答案：「我們看到天藍色，但那並非天空本來的顏色。是空氣讓我們看到那天藍色的。溫暖潮濕的空氣，蒸發成微小不可見的粒子，當空氣粒子受太陽光照射，就在那如蓋子般覆蓋它們的無盡黑暗之下顯得發亮。」

果某一門課的教科書是由任課教授所撰述，情況更是如此。在一所頂尖大學所做的經典研究發現，以特優成績畢業的學生，在畢業後一個月接受同樣的期終考，結果通通不及格。研究者哈特 (Leslie Hart) 一語道破：「期終考果眞是終結一切！」這種討好權威、壓抑問題及遵循規則的教育取向，也許足夠提供一群生產線工人和官僚公務員給社會，卻無法給我們一場新的文藝復興。

達文西的一生，可說是一場最高層次的以創意解決問題的練習。而達文西的練習方法，最主要的便是「好奇心」原則。它始於強烈的好奇心和開放的心胸，繼之，以不同的觀點提出一連串問題。

不管是在家裡或學校或職場，你都可以鍛鍊發問的能力，以增進解決問題的技巧。對大多數人而言，若要鍛鍊發問的能力，需要把關注重點從「何爲正確答案」移開，轉問「這問題問對了嗎？」，以及「這個問題還可以有什麼不同的看法嗎？」

想要解決問題，通常需要重新問問題，或要換個問法。一個問題可以有很多種問法，而「怎麼個問法」，對於找不找得到解答，大有影響。心理學家布朗 (Mark Brown) 說明，發問法的演進，如何導致人類社會的重大變革。游牧社會以「如何找水」這個問題爲基礎，當他們開始思考「如何使水流向我們」，就轉變成農業與穩定扎根的文化。

有些人喜歡沈思「生命的意義爲何」這道哲學難題，然而，更實際的哲學家則會問：「我如何使生命更有意義？」

找出問題

如何磨利發問的技巧，讓解答不請自來？一開始，先提出簡單、「幼稚」，容易被世故的人忽略的問題。達文西的發問往往異常簡單，例如他問道：「爲什麼鐵鎚一擊，會使鐵釘跳出來？」或問：「天空爲什麼是藍色的？」

提出一些看起來似乎愚蠢的問題。例如：像童話故事裡的小男孩一樣，問起爲什麼國王全身光溜溜的？爲什麼這是一個麻煩？這有什麼大不了嗎？我們爲什麼總是用這種方法做事？力求提出前所未聞的問題。

在筆記本寫出一個你在生活中或職場中擔心的難題或問題，然後自問：**是什麼**？**何時**？**誰**？**如何**？**哪裡**？**為什麼**？

★難題**是什麼**？什麼是潛藏的問題？有什麼成見、偏見或定見影響了我的認知？如果我忽略不管，會有什麼後果？有什麼可能性是我還沒有想到的？解決這個難題可能會引發什麼問題？我可以用哪一種大自然當中的比喻來說明？

★它**何時**開始？何時發生？它何時不會發生？它的後果何時被感知？它何時必須解決？

★有**誰**在乎它？誰會受到影響？是誰引起的？是誰使它沒完沒了？誰能幫忙解決？

「首先，是關於製造某些機器的問題。然後，在阿基米德的影響下，質疑動力的第一原則；最後，則提出從來沒有人問過的問題，關於風、雲、地球的年齡、世代，以及人類的心靈。」(藝術評論家克拉克論達文西的筆記本)

★它是**如何**發生的？我如何獲得更客觀的資訊？我能從不熟悉的觀點來看它嗎？它可以如何改變？我怎麼知道它獲得解決？

★它在**哪裡**發生？它於何處開始？哪裡我還沒有察看？它也在別處發生嗎？

★**為什麼**它很重要？爲什麼它會產生？爲什麼它繼續下去？問出爲什麼、爲什麼、爲什麼，打破沙鍋問到底。

> 「光是把一件事物如何運作的方式寫下來，他不滿足。他希望找出其中原委。就是這份好奇心，把一位技匠轉變成一位科學家。」（克拉克論達文西）

好奇心與終生學習

達文西知道，終生學習有多麼重要：「鐵放著不用會生鏽；靜止不動的水會腐敗；天一冷就結成冰。我們的聰明才智如果不勤於使用，就會白白浪費。」學無止境的精神，是達文西心靈的電源。當然，也是激發你閱讀本書的緣由。

一般人想要精通各種學問，恐怕是不切實際的想望，不過，我們還是可以藉由學習一門新學問，貼近達文西精神。

過去二十年來，我問過幾萬個人：如果還能學習，他們想學什麼。最常見的答案有：學一項樂器、一種語言（達文西四十二歲開始自修拉丁文）；學潛水、駕帆船或花式跳傘；打網球或高爾夫球；學素描、繪畫或雕塑；學演戲；想參加合唱團；想寫詩或寫小說；學跳舞、瑜珈或武術。

這些，我稱爲「理想嗜好」或「夢中嗜好」，我也發現，凡是熱切追求這些嗜好的人，大都活得更豐富，也更充實。多年來，我鼓勵過成千上萬的人，趕快去從事自己夢中的嗜好。而我碰過各式各樣的藉口，也因此找出回應之道。有人說：「我永遠做不好」，我就告訴他們，省省吧，連達文西也不滿意自己的作品。當有人說：「我照顧另一半和小孩實在忙不過來。」我就建議他們，讓另一半和小孩一起參與。

當有人說：「課程和器材太昂貴。」我就告訴他們從今天開始存錢，爲自己的嗜好開一個帳戶，或自告奮勇協助那一門領域的某位大師。當他們說：「工作實在太忙。等事情安頓下來我就開始。」我會告訴他，事情永遠不會安頓下來，如果現在就去從事自己夢中的嗜好，那麼在臨終之際會很欣慰，曾經花時間追求夢想。當有人說：「我太老了，我應該在年輕時就開始。」我會提醒他們，永遠不嫌遲。

我們的學習能力可以隨著年紀而增長——只要我們喚醒好奇心所帶來的力量。

在大自然找到鮮明突出的比喻，是達文西最喜歡使用的技巧之一。例如，他為法國國王位於布洛瓦的城堡設計出壯觀的螺旋階梯，靈感來自多年前他在義大利西北部海岸撿拾的螺旋狀貝殼。他對於近似豎笛的音樂管設計，則出於對人類喉頭所做的研究。

晚近，亞歷山大・貝爾 (Alexander Bell) 模擬耳朵的情況，於是發明了電話。在森林走一遭後，會黏住褲管的小毛球，激發了魔術氈的發明。至於易開罐的設計者，則是自問：「在大自然中，什麼東西很容易打開？」而後，腦海中閃過香蕉的畫面，因而探詢：「如何借用香蕉的例子來解決眼前任務？」

讓理想嗜好成眞

在筆記本裡，擬出一套實現理想嗜好的周詳策略。現在就做。列出你的理想嗜好（如果你不確定是哪些，就先編一些）。選出其中一個嗜好，然後問自己：

★我能從這項追求中獲得哪些明顯的好處？
★我的目標是什麼？
★我需要哪些資源？
★我要去哪裡找一位好老師？
★我可以花多少時間做這件事？
★我必須克服什麼障礙？
★我所認識的最富創意、活得最充實的人，也會提出下列這個問題：如何能因爲做自己喜歡的事而賺錢？

把「理想嗜好」當成生活中不可或缺的一環，是一個可以促成你個人文藝復興的簡單卻基本的方法。找一位傑出的老師或教練，與他們排定十堂課，並預付所有的學費。這常能預防你在最後一刻打退堂鼓，也免得惰性破壞你的企圖。當你在工作和家庭之餘還熱烈追求一項興趣，就能擴展視野而豐富生活的各個層面。套用神話學大師坎伯（Joseph Campbell）的話，你若這麼做，就是在「追隨你的恩賜而行」。

工作中的好奇心

大部分的商業創新，都是從「如果……，會如何」這個問題得到靈感。價值數十億美元的矽谷經濟得以出現，主要是因為思考了「把電腦矽晶片縮小，會如何？」這個問題。提供退款做為銷售誘因的熱潮，則源自於「如果我們付錢給消費者來購買會如何？」的問題。

「如果……，會如何」，這問題能激發想像力，促成一個觀點。

想一想你所可能提供的產品或服務，然後提問，如果：

把它縮小／把它放大／使它變輕／使它變重／改變它的形狀／把它倒過來／把它綁緊／使它鬆綁／增添某樣東西／減少某樣東西／互換零件／全天不打烊／提供保證一點／改變它的品牌名字／使它能回收／堅固／微弱一點／軟一點／硬一點／可以隨身攜帶／不可移動／價格加倍／付錢給消費者購買——

那會如何？

世界上最快樂的人會問：「如果我能因為做自己喜歡的事而賺錢，會如何？」

學習一種新語言

學習新語言，是一項熱門的理想嗜好，也是培養好奇心的絕佳之道。達文西在四十二歲開始學拉丁文，你也可以隨時開始學習新語言。我們都知道，嬰兒是最好的學習者，他們的開放、精力和玩耍的方式，能使他們輕輕鬆鬆學會語言。一個嬰兒如果在同時說三種語言的家庭長大，就能輕鬆學會三種語言。如果你願意採取嬰兒的學習策略，你也可以輕輕鬆鬆日新又新。身爲成人，你還可以利用資源來幫你學得比嬰兒更快。

假設，你想學「美麗語言」義大利文。以下有一些訣竅能加速你的語言學習：

★願意犯很多錯。小嬰兒並不裝酷，以爲非要一舉學會完美的發音和文法，他們只是一頭鑽進去，開口說話。你的學習進度，取決於你把這回事當成玩耍的程度有多高，以及你欣然接受不熟悉和愚蠢感覺的程度。

★有沒有注意過，嬰兒若發現一個單字或片語，就喃喃自語一再重複？你也學學他。重複，是記住東西的最簡單祕訣。

★盡可能以一套「埋首課程」展開學習。火箭把大部分的能量用在發射升空和飛出大氣層，同理，如果你能以一套集中火力的課程展開學習，也最能收效。你的「專注」將能「啓動」你的大腦電路，開始爲你的新語言重新布線。

★如果找不到一套正式的埋首課程，那就自創一套：聽語言學習錄音帶，觀賞有字幕的義大利文電影，學唱知名的義大利歌曲如「散塔路其亞」，跟著帕華洛蒂的錄音帶一起高歌，坐在義大利咖啡店，靜聽別人高談闊論，走進道地的義大利餐廳，用當地語言點菜。告訴侍者你想學義大利文，並請他幫忙，通常都會得到免費的一課，甚至更好的服務，有時候還獲得額外的開胃菜！

★學習你感興趣的領域裡的單字或片語。許多語言課程都有一點無聊，因爲它們都著重在生活所需的語言，卻是老掉牙的事物，例如「車站在哪裡」及「這是我的護照」等等句子。所以，除了這些日常事物之外，你也要學習羅曼史、性、詩、藝術、美食和醇酒的語言。

★在你的房裡四處貼上寫了義大利文語詞的自黏標籤。

★最重要的是，敞開心胸感受這種語言及其文化。當你開口時，假裝自己是義大利人（我推薦，可以裝成是電影明星馬斯楚安尼或蘇菲亞羅蘭）。把義大利語言及其相應的情感十足的手勢和表情納入學習，會學得更有樂趣，也更快。

建立自己的字庫

另一個實踐終生學習的妙方，則是建立一個自己的辭彙庫。達文西在*Trivulzianus* 抄本和其他地方，把他特別感興趣的單字記下來，並爲它們定義。這份單字表排成一欄一欄，包括生字、外來語和新字。

其中一份名單裡包括下列單字：arduous（困難、痛苦的）；Alpine（阿爾卑斯山區）；Archimandrite（一個團體中的領袖）。

達文西定義了九千多個單字之後，懷著既驕傲又謙卑的喜悅之情說：「我對於自己的母語認識這麼多，因此我應該抱怨的是自己對事物不甚了了，而非我缺乏適切表達想法的辭彙。」

這項練習，是仿效大師並培養好奇心的方法，既簡單又有力。一套強有力的字彙庫，不但與學術及事業成功密切相關，也能擴展你傳情達意的選擇。每當你發現一個不熟悉的生字或片語，就立刻查字典，把它記在日記本上。然後在寫作或日常會話中抓住機會加以運用。

培養EQ

達文西不僅自習拉丁文，強化言詞與語言學的智慧，他也培養自己的EQ（情緒智商）。他用來觀察人類同胞的敏銳好奇心，不亞於他對馬、鳥、水和光的研究。他這樣寫過：「喔，希望上帝高興，我能以描繪人體的方式，詳細說明人類心理！」

達文西對於社會各階層的人物都深感興趣，因此，他在素描及繪畫中能把人物性格刻畫得淋漓盡致。他曾建議：「當你出外散步時，注意觀察別人說話、爭論、大笑或扭打時的姿態和動作；觀察他們的行動，以及旁觀者的行動；然後在你務必隨身攜帶的小筆記本上做筆記，並附上幾筆簡單的勾勒。」

給父母的建議

如何使孩子天生的好奇心活潑不減？首先，要把自己當成學生：讓孩子成為你重新喚醒開放和追求心境的榜樣。當你能感受小孩子對於學習的純粹和熱心，就更能小心呵護它。當然，小孩不斷問東問西，考驗著你的耐心，但如果你保持心靈開放，就會發現你所需的耐力。除了自己保持終生學習，你也可以成為孩子的「好奇教練」。引導他們使用「什麼、何時、誰、如何、哪裡及為什麼」等問題，來找出創意的解決之道。每個月選出一位天才，討論歷來偉大人物提出的問題。（我推薦你以達文西做為第一個月的人選！帶你的孩子去參觀「達文西及發明年代」的巡迴展，使孩子有機會親身體驗這位大師的驚人發現。）鼓勵孩子發問，而且問個不停。孩子一放學回家，就問他們：「你今天在學校問了什麼？」

達文西一針見血的觀察，使他能實際掌握與人相處的藝術，此外，他一輩子都在開發內在的智慧。除了深刻的沈思和反省之外，達文西並且透過別人的回饋，培養自知之明。他建議讀者：「耐心傾聽別人的意見，仔細考慮並反省，不管譴責你的人有沒有道理。」

你可以要另一半、孩子、朋友，客戶、同事、老闆和員工經常給你回饋，以此強化好奇心，並加深自知之明。用你自己的話提出下列問題：

★我的弱點、盲點是什麼？哪些地方還需要改進？

★什麼是我的優點和最大的長處？

★我該怎麼做，才能更有效、更有用，或更敏感？

當你在尋求回饋時，務必仔細傾聽所得到的反應，特別當它們不是你想聽到的話，或非常出你意料之外，更要仔細聽；不要解釋，不要辯護或爭論。最好什麼也不說，只是聆聽。把別人的反應記在筆記本上，想一想。

實證

從錯誤中學習，以經驗
來證實知識的眞假

想一想，你從小到大所遇過的老師當中，最棒的是哪幾位。怎麼樣的老師，稱得上是偉大的老師？我認爲，老師最重要的是做到能幫助學生爲自己學習。最好的老師知道，經驗是智慧的源頭。而「實證」的原則，正是幫助你充分發揮經驗的關鍵。

達文西充分利用了他在維洛其奧工作室所習得的經驗，這位老師，在爲達文西作傳的作家布藍利筆下，被描述成「一人藝術大學」。達文西在維洛其奧的工作室當學徒的時候，所接受的訓練是經驗多過於理論。他學著準備畫布和顏料，開始認識光學透視；雕塑、鑄青銅和金工的技術竅門，都是課程的一部分。老師鼓勵他以直接觀察來研究植物的構造，以及動物和人類的解剖。達文西因而養成一種極爲實用的取向。

達文西的實用取向、敏銳透徹的聰明、好奇和獨立精神，在在使他質疑當時許多人云亦云的理論和教條。例如，他在地質調查的過程中，曾在倫巴底的山頂上發現化石和貝殼。在《列斯特抄本》*(Codex Leicester)* 中，他提出斬釘截鐵的論證，駁斥當時通行的說法，說這是聖經中所說的大洪水的沈澱物。達文西的論證並非根據神學，而是依照邏輯思考和真實經驗。他逐一反駁約定俗成的智慧所仰賴的假設，最後說：「這種意見，不可能存在於任何稍具推理能力的大腦中……」

達文西在研究地質學時，曾漫步於倫巴底的山丘上，手上握著化石。當他想學習解剖，就肢解不下三十具人體，以及數不清的動物屍骸。他的解剖工作和他對於化石作用的研究一樣，直接挑釁了當時的當權者。他曾這樣寫道：「許多人認爲他們有理由譴責我，聲稱我的證據與某些權威人士相左，而這些人毫無經驗根據的判斷被大家奉爲神聖；殊不知，我的作品是簡單明白的經驗結晶，而經驗才是眞正的王。」

終其一生，達文西豪氣地自喻爲「自學出身」及「經驗的門徒」。他說：「對我而言，凡不由經驗所產生的科學，俱無用又錯誤百出。蓋經驗爲確定之母，其起源、手段或結果，都來自感官所體驗的第一手經驗。」

達文西擁戴原創性和獨立思考。他鼓吹：「沒有人應該模仿別人。模仿者活該被稱爲自然之孫，而非她的孩子。自然的形體無所不有，要緊的是直接走向自然。」他排斥模仿，質疑權威，獨立爲自己思考，這些態度在任何年代都很了不起——而想想他所繼承的時代，乃是如學者曼徹斯特所強調的，假定「一切知識都已經爲人所知」，就更會對他由衷讚嘆了。

達文西不但是他那個時代最不信宗教的思想家之一，也是箇中最不迷信的一個。他把大眾對於煉金術和占星術的關心，視爲經驗和獨立思考的大敵，並期待有一天「所有占星術士都被閹割」。

不過，達文西雖對學術和學院傳統多所批評，卻不會全盤推翻古老事物的價值。例如，一四九四年他四十二歲時開始自修拉丁文，以便更能掌握古典的知識。他也有自己的圖書館，藏書包括聖經、伊索寓言，以及古希臘哲學家戴奧眞尼斯 (Diogenes)、奧維德、普來尼 (Pliny the Elder)、但丁、佩托拉克、費奇諾 (Ficino) 等人的著作，以及農業、解剖、數學、醫學和戰爭方面的文獻。研究達文西的學者麥柯迪 (Edward McCurdy) 特別強調：「達文西對於感興趣的主題，總會想辦法找到古典時代和中世紀的相關權威著作，加以研讀。」

達文西也與當時其他才高八斗的人往來，例如布拉曼特（Bramante）、馬基維利、帕契歐利（Luca Pacioli）和德拉托雷（Marcantonio della Torre）等人。達文西認爲，別人的作品是「代理經驗」，值得仔細批評研究，最終還是要透過自己的經驗，來測試它是否能成立。

達文西看到，先入爲主的成見和迂腐的學究之見如何限制了科學的探究；他知道，從經驗學習，也意味著從錯誤中學習。他寫道：「經驗從不犯錯；唯當你硬要期待那些不由實驗而得的結果時，你的判斷就錯誤了。」

即使達文西被視爲古往今來的第一天才，他還是犯過不少大錯和令人驚愕的謬誤。最明顯的過失包括：他嘗試把顏料固著在〈安加利之戰〉和〈最後的晚餐〉兩幅作品上，最後宣告失敗；他在佛羅倫斯大公的贊助下，爲阿諾河改道，結果一敗塗地；他也做了一架從來沒有離開地面的飛行機器。還有一個特別好笑的失敗，是他嘗試把斯佛札的廚房自動化。達文西曾奉派爲一場重要宴會的主廚，於是他設計了一個宏偉的計畫，要把提供給兩百多位貴賓的每一道佳餚都設計成迷你的藝術品。爲此，達文西建造了一個更強力的新爐灶，以及可在廚房內運送餐盤的複雜輸送帶。他還設計並裝置了一個巨大的灑水裝置，在著火時可派上用場。等到宴會的那一天，一切可能出錯的地方都出了錯。斯佛札平日的廚房人手達不到達文西要求的精雕細琢，因此他邀請一百多位藝術家朋友來幫忙。廚房裡擠成一團，輸送帶系統失靈，結果發生火災。而灑水裝置運作得太好了，反釀成一場水災，沖走了所有的食物及大半的廚房。

儘管有這些錯誤、災難、失敗和失望，達文西卻從不停止學習、探索和實驗。他在知識的追求上展現非比尋常的堅持。達文西在筆記本中做了一幅犁的素描，在旁邊表白：「我絕不和我的犁溝分開。」在別處他寫道：「障礙不會使我屈服」，「孜孜矻矻可以摧毀所有障礙。」

寫了《達文西：自然與人類的非凡作品》一書的作者肯普（Martin Kemp）評道：「達文西希望往哪個方向深耕，是毫無疑問的。這項原則就是他筆下的『經驗』。」

實證與你

文藝復興的眞正意義，在於它改變了許多基本假設、成見和信念。達文西藉由應用了實證原則，挑戰當時的世界觀，成爲這場革命的先驅。他知道，想要挑戰世界觀的人，必須先挑戰自己的觀點，因此他提出警語：「一個人所受的最大欺騙，來自他自己的看法。」想學著像達文西一樣思考，我們需要挺身質疑自己的看法、假設和信念。

你曾經被自己的看法欺騙嗎？你的看法和信仰眞的是你自己的嗎？下列的練習，是要讓你的思考更自由自在，也更有原創性。不過在練習之前，先花一點時間想想，實證精神在你生活中扮演什麼角色，未來如何更進一步強化它。衡量你自己的獨立性：你是個獨立思考的人嗎？你曾經挑戰一項根深柢固的信念嗎？是在什麼時候？感覺如何？

想一想你的朋友和同事。他們決定自己信念和看法的源頭爲何？你所認識的人當中，誰是最獨立、最原創的思考者？是什麼原因使那人如此獨樹一幟？

想一想，你如何得知你目前知道的一切。你從成功或失敗，從好時光還是壞日子學到比較多？我們都知道，良好的判斷來自經驗，但我們也知道，自己常從做錯的判斷中獲得經驗。你能善用你的錯誤嗎？

思考本頁左方的自我評量表。表中的問題極富挑戰性，但是，誠實反省將能幫你集中火力，請善用接下來的練習。

實證：自我評量表

□我願意承認自己的錯誤。

□我最親近的朋友認為，我願意承認自己的失敗。

□我從錯誤中學習，極少再犯同樣的錯誤。

□對於「約定俗成的智慧」和權威，我抱持質疑的態度。

□如果我所景仰的名人為某項產品背書，我就可能購買。

□我可以清楚說出自己最基本的信仰，以及為什麼我相信它。

□我曾經透過實際經驗改變了一項根深柢固的信念。

□我面對障礙不屈不撓。

□我把逆境視為成長的機會。

□我有時候不免迷信。

□在面對新觀念時，我的朋友和同事會說我：

a)很容易受騙，趕時髦。

b)故步自封，但會挖苦兼諷刺

c)心胸開放，但不立即相信

應用和練習

檢查經驗

花一小時思考以下問題，可能會使你一輩子不斷反省，經驗如何決定你的態度和行爲。在筆記本上探索下列問題：

在你生命中，最具影響力的經驗是什麼？花二、三十分鐘至少列出七項經驗，並以一句話概述你從各項經驗分別學到了些什麼。

現在，花幾分鐘反省一下，你如何把從這些最具影響的經驗所得到的教訓應用在日常生活中。

接下來，看看你這份重大經驗的清單，問自己：什麼是我生命中最具影響力的經驗？（對某些人來說，這個問題很容易回答，但有人可能一時說不出是哪一項經驗。如果你一時答不出來，就先從你自己的清單中任選一項經驗。）

然後花幾分鐘自問：這項經驗如何扭轉了我的態度和認知？力求寫下一、兩句話，說明這項經驗對你的世界觀所造成的影響。

最後問你自己，我能不能重新思考當時所做的某些結論？不要匆促回答，只要把它擺在頭腦和心靈中一段時間，讓它「醃漬」一陣子。

檢查你的信念及其來源

對於自己從何處獲得資訊，又如何驗證資訊的來源，許多人是習焉不察的。我們知道，自己對許多課題，如人類天性、倫理、政治、民族團體、科學眞理、性、宗教、醫學、生命意義、藝術、婚姻、生兒育女、歷史、其他文化等，都有看法、假設和信念。但你知道，你是如何形成這些信念的？你又是從哪裡獲得關於它們的基本認識？

先從上述各領域挑選三項。然後，在你的筆記本上寫下至少三個你對這三項課題所抱持的觀念、看法、假設或信念。例如，假設你選了人類天性、政治和藝術：

人類天性

⊙「我相信人性本善。」

⊙「我相信行爲主要是由遺傳決定的。」

⊙「抗拒改變是人類的天性。」

在三個領域中各列出至少三個信念後，問自己：

⊙我是怎麼形成這個觀念的？

⊙我對它的信仰有多堅定？

⊙我爲什麼要維持這項信念？

⊙會有什麼事物使我改變這項信念？

⊙哪一項信念引起最多情感波動？

然後檢視你在這三個領域中的各項信念，檢查並思考下列來源在你形成信念的過程中扮演什麼角色：

⊙**媒體**：書籍、網路、電視、收音機、報紙和雜誌。
⊙**人**：家人、老師、醫生、宗教領袖、老闆、朋友、同事、鄰居。
⊙你**自己**的經驗。

你用什麼標準來評估資訊的可信度？你大部分的觀念都來自書本，或是受家庭的影響最大？你相信報紙或電視的程度有多高？透過反省和沈思，找出你獲取資訊的主要來源，以及你信念與看法的基礎，看看你的信念中是否有沒經過實際驗證的。有什麼方法可以用經驗來測試信念？

三項觀點

在筆記本中，把你在前述練習中引起最多也最強烈的情感反應的一項信念寫下來。

在好奇那一章裡，我們得知，達文西在追求客觀知識時，不管是解剖屍體或評估某一幅畫，至少都會從三個不同的觀點來檢視。你也試試看。

達文西利用鏡子來反向審視自己的畫作，你也嘗試找出最強的論點來反駁自己的信念。

達文西還從一段距離之外檢查畫作，以尋找新觀點。你也嘗試「隔一段距離」來檢討自己的信念，自問：如果我住在另一個國家；來自不同的宗教、種族、經濟或階級背景；比現在大二十歲或年輕二十歲，或變成異性，我對某件事的看法會不會改變？

最後，找出你認爲會與你唱反調的朋友或熟人，訪問他們，刻意從另一個角度來看這個問題。

練習抵抗商業手法

在你閱讀本書的當兒，成千上百個深富創意的廣告人，正專注於調度動輒幾十億元的預算，準備要來影響你的價值觀、自我形象和購買習慣。廣告業主要利用性的不安全感，或對於不存在於生活中的事物懷有幻想，或其它異想天開，或以疲勞轟炸強行推銷，總之，廣告商擅長打動他們所瞄準的族群。要在這場猛烈攻擊中保持獨立思想，需要一種近似在東方武術所培養的紀律。請嘗試下列的「自衛」練習：

★翻開你最喜愛的雜誌，分析其中廣告的策略和手法。
★對於你最喜愛的電視和收音機節目做同樣的練習。
★留意哪一些廣告對你最有影響，原因何在。
★在你小時候，廣告如何影響你？
★列出你所看過的最棒的三則廣告。是什麼原因使它們如此精彩？
★找出你在過去幾個月所購買的十項物品，自問你是否受到一絲廣告的影響。
★以「廣告在我價值觀與自我形象形成過程中所扮演的角色」爲題，做一節意識流寫作。

廣告業最聰明也最諷刺的手法之一，乃是把獨立思考或個人主義收編。瞧瞧那些把駕駛四輪傳動的越野車、抽一根十五美元的雪茄、穿某一特定品牌的牛仔褲或球鞋，或把棒球帽反戴等等革命性的姿態，與「叛逆者」和「個人主義者」劃上等號的手法，便知其一二。在筆記本記下類似的例子。你可能觀察到的範例包括：

★萬寶路廣告中的男人和維珍妮涼菸的女人。

★牛排店以「沒有規則，對就好」爲口號。連鎖漢堡店說，「有時你必須打破規則」。(試試看，違反了「吃牛排或漢堡要付錢」這項約定俗成的規則，你會有什麼下場。)

★連我們親愛的呆伯特，這象徵反抗愚蠢官僚體系的漫畫人物，也被收編了。現在他是大眾市場的寵兒，被用來販賣更多廣告，製造更多辦公室隔間。

從錯誤和逆境中學習

沈思下列問題並在筆記本記下你的反省，以此探討你對錯誤的態度：

★在學校中，你對於犯錯這件事學到什麼？

★對於犯錯這件事，你的父母如何教導你？

★你犯過的最大錯誤是什麼？

★你從那個大錯誤中學到什麼？

★有什麼過錯是你一犯再犯的？

★在你的日常生活、工作和家庭中，「害怕犯錯」這件事，扮演什麼樣的角色？

★你比較容易因做了事而犯錯，還是因不做事而犯錯？

嘗試以意識流寫作：「如果我不怕犯錯，有哪些事我的作法會不同？」

達文西在追求眞理及美感的路上，犯過很多錯誤，也遭逢極大的逆境。除了受到莫須有的指控、侵犯、放逐，以及一件偉大傑作遭到任意破壞之外，達文西最大的不幸，恐怕要算是因爲他遙遙領先時代，高處不勝寒，因而產生的由衷寂寞感吧。

儘管達文西也會懷疑自己，質疑自己的努力究竟有何價值，但他從不輕言放棄。他面對逆境的勇氣和堅忍，著實令人深受激勵。他在筆記本中寫下態度肯定而正面的句子，一次又一次加強自己繼續工作下去的意願。舉例如下：

「我絕不和我的犁溝分開。」

「障礙不會使我屈服。」

「孜孜矻矻的努力，能摧毀每一道障礙。」

「我會勇往直前。」

「我從不厭倦對人有用。」

創造你自己的肯定句

賽利門博士 (Dr. Martin Seligman) 及其他學者所做的長期研究顯示，一個人在事業和生活上的成功，最主要取決於他面對逆境時的韌性多大。警醒、深思和幽默感，是你試著在困難經驗中有所學習的最佳良伴。你也可以像達文西一樣，藉由創造自己的肯定句，來強化你的韌性。在筆記本中，爲你的各項重大挑戰寫出一句以上的肯定句。

許多人在寫這類肯定句時，都有「我現在狀態如何如何……」的意思，例如「我對自己很有耐心」或「我對自己愈來愈有耐心」。這類的肯定句可能一時有用，但充其量只能引起純屬頭腦或認知的反應。你可以透過更有情感、更貼心的方式，擬出自己的肯定句，使它在更深刻的層次上發揮作用。

念一遍這句話：「我對自己很有耐心。」留意你自己的反應。

換個方式再來一次：「我覺得我對自己有耐心。」留意自己的反應。當你把自己的感覺告訴自己，而不只是說明現況，你便更能對自己所說的話有感覺，使你的肯定句在心底紮根。

下列句子是我與朋友舒思特曼博士共同寫成的，目的在於幫助你通往心靈深處，追求更深層的改變。

一、人際關係

★我願意讓另一個人走進我的心房。

★我想知道，我能不能做什麼改變來幫助我的伴侶。

★我發覺到我父親與我丈夫（或我母親與我妻子）之間的不同。

★我尊敬我妻子（女朋友）的女性本質。

二、靈性

★我與神性（基督、更高自我、佛陀等等）的關連，是我的首要之務，

（說這句話的同時，在腦海中想像一下，你的工作、人際交往關係、金錢、期望、父母、過去的壓力事件等，對你來說有多重要。）

★我感覺神性存在於我內心。

★我內心感覺有一股神聖的意志在我的生命中運作。

★我發現，我的靈魂需要向某某人或某事（說出一個人的名字或某項經驗）學習。

三、金錢

★我知道，渴望與需要是不同的。

★我很好奇，該如何讓心靈感到富足。

★我願意讓富足感進入我的生命。

★我覺得自己值得享有心靈富足的經驗。

★我的生活早已非常富足。

四、學習

★我的聰明才智，常以出其不意的方式展現。

★我知道自己天生就想學習。

★我很好奇，我該（如何解決這個問題，學習這個主題、如何做得更好……）。

★我相信當我需要知識時，它就會來到身邊。

五、事業

★我以自己對世界的貢獻感到有價值。

★當別人看我的工作，我覺得自己與內在的力量相連。
★我很好奇，該如何展現我存在於世間的內在目的。
★我願意在世間展現我的內在目的。

六、生活之樂

★我在任何情境都充滿喜悅（說這句話時，在腦海中想像一個有壓力的情境）。
★我覺得自己值得擁有幸福快樂。
★我爲別人的幸福感到高興。
★我的喜悅和快樂都來自內心。

七、自我實現

★我信賴內在的自我。
★我覺得神性存在於我內心。
★我允許自己體會自己的感覺。
★我對於自己的感覺有所認知。

向「反面教材」學習

想要從錯誤中學習，最好的方法莫過於拿別人的過錯當前車之鑑。有達文西這樣正面的榜樣固然很好，但你也可以從「反面教材」學到很多。例如，我就從最糟糕的老師和教練身上，學到最多有關教與學的訣竅。我還記得以前坐在教室裡看到某位老師，總是以單調的聲音說個沒完，另一

給父母的建議

你該如何教育小孩為自己思考、從錯誤中學習，並在逆境中愈挫愈勇？和生兒育女的其他層面一樣，這些問題不容易回答。但關鍵之一在於培養孩子信心。信心，指的是信賴自己這個人和自己的能力，信心是成功的竅門；而成功的經驗，又是建立信心的關鍵。引導你的孩子嘗到學習的成功滋味，從中建立信心。把一件任務分成幾個簡單的部分，讓小孩得以享受一連串小小的成功，而不是遇到幾個大失敗。

建立孩子自信的最好方法，莫過於無條件的愛。讓你的孩子知道，你愛他們的人，而不是他們的作為。在無條件的愛之餘，再加上熱心的鼓勵。不斷對孩子說：「你只要下定決心，沒有什麼做不到」，或「我對你有信心」，或「我知道你辦得到」。

把錯誤當成學習的機會。當孩子真的栽了筋斗，就給他們溫柔而正確的回饋和熱情的鼓勵。某些以「自尊」為導向的教育法有問題，把「無條件的愛」和「拿不正確的回饋做為鼓勵」混為一談。如果告訴一個孩子表現很好或很正確，但事實上並不是這麼回事，只會扼殺真正自尊的發展。正確的回饋，能使孩子立足於現實，也表達出你對他學習能力的尊敬。

位老師在學生發問時從不注意聆聽，而有位教練最喜歡羞辱自己的選手。他們教了我哪些事不要做。我也很感謝其他的反面教材，因爲他們示範了哪些事不可做，而幫助我免於出錯。

哪些人所犯的錯誤是你最想避免的？至少列出三個人。你如何從他們的錯誤中學習？此處的麻煩在於，有時候，你最大的反面教材在某些方面卻是你正面的榜樣。因此，你必須清楚劃分，你想要看齊的部分與你想要避免的部分各是什麼。

工作中的實證精神

商界資深主管一致指出，他們的最大失策，首要原因是沒有聽從自己的經驗。商業人士太常任令分析師、律師和學術權威把自己基於經驗所做的較好判斷給推翻。國際管理集團的創辦人，著有《在哈佛商學院學不到的事》一書的麥康梅(Mark McCormack)，指出學院訓練可能會產生有限的思考信念：「一個MBA學位，有時候反而會阻撓了他掌控經驗的能力。我們雇用的許多企管碩士，有的嘛天真的可以，有的深受商業訓練所害。結果，他們無法從真實生活學習，無法正確閱人或準確拿捏情勢，倒是有一種匪夷所思的能力，可以做出錯誤的判斷。」

和達文西一樣，最佳的領導者和管理人都知道，經驗是智慧的核心。

感受

精鍊感官的能力，追求
栩栩如生的經驗

視、聽、觸、味和嗅。如果你像達文西一樣思考，就會把這些視爲打開經驗之門的關鍵。達文西相信，實證的秘訣乃由感官顯露，尤以視覺爲最。「懂得如何觀看」(*saper vedere*)，是達文西的座右銘之一，也是他藝術及科學作品的基石。

布爾斯丁在《創造者：想像力之英雄列傳》一書中，把談論達文西的那一章，冠上「可見世界之王」(Sovereign of the Visible World) 的章名。如果說達文西確是是可見世界之王，那麼他的「統治權」，源於他開放的探究的心胸、仰賴眞實的經驗，以及異常敏銳的視覺。他在童年時期徜徉於托斯坎尼鄉間的自然美景，然後又受到他的老師，人稱「眞實之眼」的維洛其奧所栽培，因此發展出非凡的視覺能力，幾乎可以媲美卡通裡的超級英雄。例如，達文西在《飛鳥抄本》中記錄了羽毛和翅膀在飛行時的細節，但一直沒有受到後人證實，也沒有受到充分賞識，一直要到發展出慢動作電影手法後情況才改觀。

達文西在形容視覺的力量時，感性十足，也一派慷慨激昂：

> 失去視覺的人，就失去了對宇宙的看法，好比一個人活生生被埋葬，在棺木中行走和呼吸。你難道不明白，眼睛盡收整個世界的美景嗎：它是天文學的大師，協助並指導人類的一切藝術。它遣人走向地球各角落。它主宰數學的不同部門，它的一切科學都最確實無誤。它衡量各星球的距離和大小；發現不同的元素及其性質，並從星座的運行中預測未來的事物。它創造了建築和透視法，以及最終的，神聖的繪畫藝術。喔，你是上帝造物中最出類

拔萃的一個！什麼樣的讚美詩才能充分表達你的高貴；什麼樣的民族和語言，能夠描述你的成就於萬一？

達文西的凝視，使他能在繪畫作品中捕捉前所未有的細膩表情。對他來說，眼睛確實是靈魂之窗，如同他一再強調的，「眼睛是我們用來充分欣賞大自然無盡傑作的主要工具」。

對達文西而言，視覺至高無上，因此，繪畫是最偉大的學問。聽覺和音樂居次。他寫道：「音樂可謂繪畫的姊妹，因爲它仰賴聽覺，而聽覺排行第二……繪畫比音樂高超，排行更前，因爲它在誕生之後並不會逐漸消退。」(在達文西那個時代，當然還沒有錄音帶、留聲機或雷射唱片。)

達文西多才多藝，也是一位傑出的音樂家。他能在幾位贊助者的宮廷中廣受歡迎，部分原因是他能吹奏笛子、彈里拉琴等等樂器。凡薩利告訴我們：「他不必做任何準備，一開口就是天籟。」當達文西投靠米蘭的斯佛札時，攜帶了一把銀製把柄、塑成馬頭形的里拉琴，這是他親手製作的禮物。除了作曲、彈奏和唱歌之外，達文西在繪畫時還有音樂相伴。對他來說，音樂是感官及精神上的養分。

雖然說，視覺和聽覺位居達文西感官排行榜的龍頭，他也重視所有的感官知覺，勤加練習並鼓勵大家也都錘鍊自己的感官。他費盡心思穿上他買得起的最好服飾，感受上

「我們所有的知識，都源於我們的知覺。」(達文西語)

「誰會相信，這麼小的空間，竟然囊括全宇宙的種種形象。」(達文西語)

「人的五種感官，掌管了人的靈魂。」(達文西語)

好的天鵝絨和眞絲的觸感。他的工作室總是充滿鮮花和香水的芬芳。他對烹飪藝術的熱愛，更進一步培養他的感官。西方宴會上慣用小而美的食物，精雕細琢又健康，這個概念就來自達文西。

然而達文西悲嘆，一般人「視而不見，聽而不聞，觸而無感，食不知味，行動時對身體無知無覺，呼吸時香臭不分，說話不經大腦」。在幾百年後，聽他這番評語，像是在邀請我們增進自身的感官能力——連帶的，改善我們的頭腦和經驗。

感受力與你

你所看過的最美麗景物是什麼？所聽過的最甜美聲音？最精緻溫柔的觸感？想像一種美味絕倫的味道，以及勾人魂魄的芬香。你對某一種感官的體驗，如何影響其他的感官？

本章所提供的問題和練習，都充滿感官的樂趣：你將會品嚐美酒，發現欣賞音樂和藝術的新方法。你會學習豐富觸覺，並以大師的手法調製專屬自己的古龍水。你也會體會到，什麼叫做感覺統合(synesthesia)，也就是感官的協調配合，這是偉大藝術家與科學家的密訣。在這所有的樂趣和愉悅之下，潛藏著一個嚴肅的目的：錘鍊感官的智慧。

你的感官，除了能傳達愉快和痛苦的感

參觀羅浮宮時，可以目睹一項達文西所哀歎的現象。走近〈蒙娜麗沙〉畫作，會看到好多個以各種語言寫成的斗大標示：「請勿用鎂光燈拍照。」你想好好欣賞這幅神秘的畫，卻發現快被閃個不停的鎂光燈弄瞎了。可是這些人根本沒有看這幅畫一眼。

覺，也是智能的助產士。敏銳，是聰明的同義字；遲鈍，則是愚蠢的代名詞；這兩者都與感官的敏銳度有關。但生活在一個車水馬龍，充滿辦公室隔間、水泥、呼叫器、電話鈴聲、人工原料、鑽地機的世界中，就會像是達文西所說的，實在太容易「視而不見」了。視而不見，違反達文西的精神；畢竟他耗費力氣來培養他的感官覺知能力和敏銳度。

寫了達文西傳記的作家布藍利，把達文西的感官發展與精鍊計畫比喻成運動員的訓練流程：「一位運動員發展他的肌肉，達文西則訓練自己的感官，教育他的觀察機能。我們從他的筆記本得知，他從事了什麼樣的心智體操。」本章提供悅人的感官體操，將能導引你提升感官的覺知、敏銳度和享受。不過，請你先做一做接下來幾頁的自我評量表。

感受力自我評量
視覺

□我對於色彩的調和與衝突很敏感。

□我知道所有朋友的眼珠顏色。

□我每天至少極目遠眺一次，也抬頭看天空一次。

□我很擅長描述場景的細節。

□我喜歡塗鴉和素描。

□朋友說我警覺性很高。

□我對於光線的細微變化很敏感。

□我能清楚在腦海中描繪事物。

感受力自我評量
嗅覺

□我特別鍾愛某一種香味。

□氣味會強烈影響我的情緒，有可能讓心情變好，也可能變壞。

□我可以從朋友的味道認出他們。

□我知道如何用香味來影響自己心情。

□我可以透過味道來判斷食物或葡萄酒的好壞，十拿九穩。

□當我看到鮮花，常會花幾分鐘深深吸進它的香氣。

感受力自我評量
聽覺

□朋友說，我懂得聆聽別人說話。

□我對噪音很敏感。

□我可以聽出一個人唱歌是否走了音。

□我唱歌不會走音。

□我經常聽爵士樂或古典音樂。

□我可以聽出樂曲的低音部和主旋律。

□我知道自己音響設備的所有控制功能，當我在做調整時，也可以聽出其中的不同。

□我喜歡安靜。

□我能聽出擴音器的音色、音量和抑揚頓挫的細微變化。

感受力自我評量
觸覺

□我留意生活周遭各種表面的觸感，例如我坐的椅子、沙發和車上座椅。

□我對於所穿的衣服質料很敏感。

□我喜歡被碰觸，也喜歡被撫觸。

□朋友說，我的擁抱很棒。

□我知道如何用雙手來傾聽。到

□當我碰觸某人，我能夠分辨對方是全身緊繃或放鬆。

感受力自我評量
味覺

□我可以吃出新鮮食物的「新鮮感」。

□我喜歡許多不同的料理。

□我搜尋不尋常的味覺經驗。

□我可以在一道繁複的菜餚中，分辨出不同的作料和香辛料。

□我善於烹飪。

□我欣賞食物與酒的搭配。

□我吃東西有自覺，會察覺食物的味道。

□我盡量少吃垃圾食物。

□我盡量避免匆匆忙忙吃了東西就上路。

□我喜歡參加品嘗比賽或品酒會。

感受力自我評量
感覺統合

□我喜歡用一種感官的語言來描述另一種感官。

□我憑直覺了解哪些顏色「很冷」，哪些顏色「很熱」。

□我對於藝術的反應，發自內心的本能。

□我知道，感覺統合在偉大的藝術家和科學家思考中所扮演的角色。

□我可以感覺出來，下列這些聲音「嗚哇啦」、「吱–吱–吱」、「哩–哩–哩–哩」的代表符號分別是：～，〰〰，vvvv。

應用和練習

A 視覺：觀與看

達文西寫道：「眼睛盡收整個世界的美景。」你可以透過以下練習開始培養更敏銳的視覺，以及更充分欣賞這個大千世界的美景。

一、以手掌蓋眼的練習

找一個安靜隱密的地方，在桌前坐下。雙腳平放地上，端正坐著，以骨盤底端的骨頭支持你的身體。如果你有戴眼鏡，把它拿掉，隱形眼鏡則沒有問題。現在用力摩擦你的雙掌約二十秒，手肘輕輕靠在桌上，將手掌彎成杯狀，輕輕蓋在你閉起來的眼睛上。務必小心，不要碰觸眼珠或壓迫到鼻樑兩側。

以輕鬆的方式深呼吸，閉起眼睛休息三到五分鐘。在最後的半分鐘，把手掌移開眼睛，但是仍然閉眼約二十秒。（不要揉眼睛！）然後輕輕張開眼睛，瀏覽四周。你會注意到，四周顏色更鮮明，事物看來更清晰。這個練習一天做一、兩次。

二、聚焦遠與近

本練習簡單又有用，每天不妨做幾次。先端詳你附近的某樣事物，例如這本書或你的手，然後改變焦點，轉看最遠方的地平線。選出地平線的某樣事物，凝視幾秒鐘，然後再看回你的手，然後再看遠方的地平線，這一次聚焦在另一個事物上。這個練習能使你的眼睛更炯炯有神，擴展你的眼界，還能改進你的駕駛能力，特別是避免你在高速公路上不知不覺超速。

三、「柔和的眼睛」

坐在電腦螢幕前閱讀文件報告的人，焦點變得僵硬又狹窄。現在，深深吐氣幾次，嘗試以下練習：把左右兩手的食指在你前方三十公分左右的地方併攏，與眼睛同高。然後直直向前看，把

達文西如此描寫日出：「在每一天的第一個時辰，南方靠近地平線的雲彩，沾染了一絲玫瑰紅；愈往西愈黯淡，往東方，地平線的潮濕霧氣比真正的地平線還要明亮，東邊房子的白色幾乎模糊不可辨；在南方，房子的距離愈遠，就顯出深玫瑰紅的色澤，在西邊更甚；而陰影的情況剛好相反，因為它們都消失在白色的房子之前。」

兩隻食指往水平方向慢慢分開。等到你無法同時看到這兩根食指時就叫停。慢慢把食指移回中心，然後以垂直方式重複一遍。呼氣。現在放鬆額頭、臉龐和下顎的肌肉，盡可能把最大的視野盡收眼底，使你的眼睛「柔和」。注意這項練習如何影響你的頭腦和身體。

四、描述日出或日落

從報紙上或農民曆上找出日出或日落的確切時間。找一個視野好又安靜的地方，坐著。至少在預報日出或日落的前十分鐘抵達。做幾個深呼吸，特別著重徐徐吐氣，使頭腦和身體都安靜下來。花三分鐘做手掌蓋眼的練習，然後遠近來回聚焦，當你極目遠眺地平線時，讓眼睛柔和下來。在筆記本上描述你的觀日經驗。

五、研究你所喜愛的藝術家生平和作品

選出你最喜愛的十位藝術家。然後花一段時間(一週、三個月、一年)，了解他們的生平，沈浸在他們的作品中。閱讀一切你找得到的資料。到收藏這些作品的地方去看看這些作品。把你喜愛的繪畫複製品掛在浴室、辦公室和廚房。下列是我的十大鍾愛畫家(西方畫家)：

1. 達文西（不會驚訝吧！）
2. 塞尚
3. 梵谷
4. 林布蘭
5. 米開朗基羅

6. 維密爾 (Jan Vermeer)
7. 喬吉翁尼 (Giogione)
8. 馬沙其奧
9. 達利
10. 瑪麗・卡沙特 (Mary Cassatt)

六、充分利用博物館

你該如何加深自己對藝術傑作的欣賞，並且提升觀看的能力？一個簡單的重點：參觀博物館時要有策略。許多教育程度很高的人也會發現，逛一趟美術館簡直無所適從，要看的實在太多了。如果沒有一套積極的策略來觀看，並享受一項展覽，那麼看完展覽走出展場時，常會精疲力竭，卻又覺得意猶未盡。語音導覽是挺不錯的方法，但它們的品質良莠不齊。

嘗試以下這個方法：和一位朋友一起去博物館。事先決定好你們要看哪一部份的展覽。當你們走進每間展覽室，就分道揚鑣，約好在某個時間會面。

先把你從大學藝術史課程所學到的分析術語拋到腦後，暫時不下任何判斷。只用新鮮、天真的眼光端詳每一幅畫或雕刻。先不看藝術家的名字或標題，等到你已充分欣賞之後再看。某一件藝術品吸引你的地方何在？在筆記本記下，最打動你的繪畫或雕刻是哪一件。然後和朋友碰面，分享你們對那間展覽室中最傑出作品的心得。你若能有條不紊說出某件作品吸引你的地方，就能

達文西觀察到：「觀念或想像的機能，身兼感官的方向舵和馬勒，正如所想像出來的事物會推動感官」。

加深你的欣賞和享受。當然，朋友的觀點能讓你獲益匪淺，不但能加深你對某些繪畫的欣賞，更能加深你對這位朋友的認識。當我與朋友一同做這項練習時，他們都異口同聲：「那是我進博物館看展最有樂趣的一次。」

七、「細微的臆想」：視覺化

想要磨利你所有的感官、改善記憶力，並追求實現生活目標，有一個絕佳工具：視覺化。視覺化是達文西學習與創造策略中不可或缺的一環。他曾寫道：「我從自己的經驗發現，當你在黑暗中躺在床上，在想像中溫習一遍你正在研究的形體輪廓，或是其他由細微的臆想而形成的事物，對你大有助益。這絕對是一項值得稱許的練習，有助於把事物嵌進記憶中。」雖然這項建議原是針對畫家而發，卻同樣適用於生活的藝術家。

你可以練習有意識的視覺化，來改善生活的一切，從高爾夫球賽和交際舞，到你的素描和報告技巧。當你放鬆時，視覺化的工作最有成效，因此適合練習的時間包括：

⊙早晨剛醒來時；

⊙晚上即將進入夢鄉之際；

⊙搭火車、坐飛機、輪船或開車時；

⊙忙裡偷閒時；

⊙在冥想、瑜珈或練習之後；

⊙身體放鬆，腦袋自由的時刻。

不要想像蒙娜麗沙長鬍子！如果這項命令你做不到，那是因為你視覺化的能力太強了，所以能接受任何正面或負面的暗示，把它轉化成圖像。達文西強調過：「想像的事物推動感官。」然而，許多人錯以為自己「無法視覺化」，他們通常指的是看不到清晰、電影一般多彩的內在視覺影像。但你必須明白，你不必「看到」彩色清晰的影像，就能充分獲得視覺化練習的益處。

如果你認為自己不能把東西視覺化，那麼嘗試回答下列問題：你的愛車是什麼款式和顏色？你能描述你母親的臉嗎？一隻大麥町狗是什麼花色？結果，你可能從內在的影像資料銀行，亦即大腦皮質找出影像，因此不費吹灰之力就可回答這些問題。這個資料銀行與你的腦前葉聯手儲存並創造出的影像，不管是真實影像或想像，都比世上所有電影和電視製片公司加起來的作品還要多。

⊙使你的視覺化保持正面。許多人無意識中會設想負面的視覺化，這種情形一般稱為憂慮。如果想要擬出睿智的計畫，這種預想什麼地方可能出錯的能力是不可或缺的，不過，小心不要執著在失敗、不幸和大災難的意象上。反過來，你要設想自己對任何挑戰都有正面的回應。

⊙分辨幻想和視覺化。雖說幻想很有趣，而它所激發的自由流動意象也可能有助於產生創意的點子。但視覺化與幻想不同。當你把東西視覺化時，你是有意識地集中精神，想像一個你期待出現的過程或結果。換句話說，你是在從事有紀律的頭腦「預演」；而真正使你的視覺化成功的，是你的持之以恆及焦點不改，而非彩色的清晰度。

⊙使你的視覺化具有多重感官。利用你的感官，使視覺化刻骨銘心又難以抗拒。不管你是準備專題報告、計畫一頓餐點，或為運動競賽做訓練，都要想像一下，與成功有關的視覺、聲音、觸感、嗅覺和味道。

把一項渴望的結果視覺化，是你大腦天生的能力，而大腦的用途正在於使那個圖像吻合你的表現。你愈能徹底利用所有的感官，你的視覺化就會愈精彩動人。若欲善加利用視覺化的練習，請嘗試下列各項練習，使你多重感官的視覺化更為栩栩如生。

八、描繪你最喜愛的景色

好好享受幾口深呼吸，然後閉上眼睛。創造一幅你最喜愛的景色，不管是真實地方或想像中的地方。例如，你選擇一處海灘，在腦海中，往一望無際的碧藍海洋看去，用眼睛追隨洶湧向前的白色浪頭。聆聽浪花的隆隆節奏，感覺你背上溫暖的陽光。從溫柔的海風中吸進鹹濕的空氣，並玩味腳趾間潮濕沙子的質感。察覺六隻棕色的鵜鶘從水面飛掠而過，突然一哄而散。最大的那隻鵜鶘飛回來，一頭潛進水中，吞下一隻銀尾魚。抓起一把沙，把它舉向清澈的藍天，讓沙緩緩從指尖滑落，光線在水晶中閃動。在退去的波濤裡洗手。舔舔你的手指，品嚐鹹鹹的海水。繼續享受你喜愛的這個地方，好好玩味每一個愉悅的感覺細節。

九、創造你內在的傑作戲院

要培養視覺化的功夫，最佳方法之一就是把藝術視覺化。挑選一幅你喜愛的藝術家的作品，例如達文西的〈最後的晚餐〉或梵谷的〈向日葵〉，把它掛在牆上，每天至少花五分鐘研究，如此持續一個星期。每天晚上，當你快要進入夢鄉時，努力在腦海中重現這幅畫。具體

> 達文西提出兩種視覺化：後想像：想像過去的事物。前想像：想像即將發生的事物。

設想一切細節，以所有的感官來做這個練習：想像在最後的晚餐桌邊的聲音，想像向日葵的氣味。每天記下你對於這幅作品的印象有什麼改變。

十、學習素描

要使視覺精緻化，最終極的達文西手法就是學習畫畫。但就像大多數的藝術家一樣，達文西的繪畫也是建基於素描。達文西強調，素描是繪畫及學習觀看的基礎。他寫道：「素描之於建築師和雕刻家不可或缺，一如它對陶匠、金匠、織工和刺繡者絕不可少……它給予算術家數字，教導幾何學家圖表的形狀，指導光學儀器商、天文學家、機器製造者及工程師。」

對於達文西來說，素描絕不只是插畫，而是了解創造的關鍵。所以，凡抱持「有爲者亦若是」心情的達文西信徒，學習素描是學習觀看和創造的不二法門。有意邁出素描第一步的人，請參看本書第三部分：「給初學者的達文西素描課」。

B 傾聽與耳聞

每一種聲音和每一次的寂靜，都是一次使聽力更敏銳的機會。然而，城市之音如排山倒海，使我們的敏感度變鈍。當四周充滿鑽地機、電視、飛機、地下鐵和汽車的噪音，大多數人爲了保護自我，都學著充耳不聞。現在，嘗試以下的練習，「調整」你的聽覺器官。

一、一層一層傾聽

暫停手上的事情幾分鐘，深深吐出幾口氣，然後聆聽周遭的聲音。首先你會聽到最響也最明顯的聲音：冷氣機、時鐘滴答、街上的車水馬龍、人和機器的噪音。等這一「層」聲音漸漸清晰，就開始注意下一層聲音：你自己的呼吸、一陣微風、走廊上的腳步聲、當你移動手時袖子發出的悉簌聲。繼續把感覺帶往更深的層次，直到你聽見自己柔軟而規律的心跳。

二、**聆聽寂靜**

練習傾聽聲音與聲音之間的空間：與一位朋友談話的停頓，你最喜愛的音樂段落中的暫歇，藍知更鳥歌唱中的休止符。把寂靜當成一天的主題，把你的觀察記在筆記本上。你有可能找到一個完全安靜、遠離任何塵囂的地方嗎？嘗試找到這樣的地方。處在一個完全安靜無聲的地方，感覺如何？

三、**練習安靜**

找一天試試噤口不語的滋味。一整天都不說話，只注意傾聽。最好能在大自然中消磨這安靜的一天，在林中散步，登山，或在海邊漫步。整個人沈浸在大自然的聲音中。這種「禁語」能強化你深刻傾聽的能力，也能使你神清氣爽。

四、**研究你喜愛的作曲家和音樂家的生平與作品**

美妙的音樂，最能培養對聲音的欣賞和細膩入微的聽覺。達文西說，音樂藝術「化無形爲有形」。你可以先從你本來就喜歡的音樂著手，以此增強你的敏感度和快感。從某一類音樂風格中選出你的十大音樂家，不管是古典作曲家、靈歌巨擘、猶太音樂團、探戈管弦樂團、低吟淺唱的流行歌手、爵士大家、雷鬼大師或節奏藍調的樂手。選出其中一位後，在一整天、整星期或整個月中完全沈浸在他的作品中。如果你的車裡有雷射唱盤，就裝滿某一樂手或作曲家的專輯。運用本章後面提供的主動聆聽技巧，更深入鑑賞那位樂手的全套作品。

五、認識西方音樂的主要流派

世界各地的音樂極爲豐富、多樣而美妙，至於熟悉並欣賞西方音樂傳統的大師作品，可以做爲個人聽覺文藝復興的出發點。透過作曲家艾潔 (Audrey Elizabeth Ellzey)、著名指揮家哈伯曼(Joshua Habermann)、歌手佛賽 (Stacy Forsythe) 和美國國家公共電台霍爾維茲 (Murray Horwitz) 等專家的指引，我列出一份西方音樂傳統的簡介，供你享受：

中世紀 (五世紀中期至十五世紀中期)：中世紀在音樂方面的特色，是教堂和修道院的聖歌詠唱，以及吟遊詩人和其他演藝者的世俗歌曲。在這段時期，人聲是最重要的樂器。中世紀的許多作曲者，就像大部分的畫家一樣，都是默默耕耘不爲人知。不過很高興有一個例外：希爾德佳，她的作品充滿一個禱告者的感情，謙卑又美妙，榮登世界十大暢銷排行榜。

文藝復興 (1450-1600)：這段時間最重要的發展是複音音樂的演進，亦即音樂中不同的音部各自獨立。樂曲首度印刷問世，表演者因之得以學習並跟隨不同的音部或聲部。音樂形式漸漸複雜。約瑟昆 (Josquin)、拜爾德 (Byrd) 和杜費 (Dufay) 都是名家，作品流傳至今。不過，多數專家認爲，在達文西死後不久出生的義大利作曲家帕雷斯汀那 (Palestrina)，才是這段時期的佼佼者。

巴洛克時期 (1600-1750)：巴洛克音樂的要角，是音樂的對位法。在音樂對位中，個別的旋律雖然各自獨立，卻受到普通和弦更緊密的控制。巴洛克音樂相當要求前後一貫，仰賴一套嚴格的規則。這段時期的音樂，就如文藝復興時期，大部分是爲王宮貴族及宗教目的而寫。巴哈和韓德爾是此中佼佼者。

古典時期 (1785-1820)：巴洛可時期之後，經過三十五年的過渡期，古典時期登場；對位法逐漸退燒，讓位給和弦伴奏的單一旋律。巴洛克的規則和嚴謹放鬆了不少，奏鳴曲於焉誕生。奏鳴曲的形式，使作曲家有更多的自由和機會展現個人風格。古典時期的音樂仍舊正式，不過以優雅和巧妙著稱，莫札特、海頓和貝多芬爲其中最傑出者。

浪漫時期 (1820-1910)：這段時期，對於和弦與旋律的各式奇特實驗，擴展了音樂結構。懷抱理想的個人，爲情感的表達尋找發聲的管道。在布拉姆斯、蕭邦和舒伯特的偉大器樂作品，以及威爾第、普契尼和華格納的華美歌劇中，個人的激情和深刻情感表達得栩栩如生。

二十世紀：在二十世紀初，史特拉汶斯基、德布西、理查史特勞斯、馬勒、荀白克、蕭斯塔高維奇和巴爾托克等作曲家，披荊斬棘，開創了新的音樂路徑。現代作曲家起而反叛先前的嚴謹僵化，形成百家爭鳴的局面，聽眾難於逐一跟進。第二次世界大戰開打，音樂的發展更形複雜。例如，史特拉汶斯基和德布西的音樂在俄國成爲禁樂，蕭斯塔高維奇的音樂則被打壓（在本世紀的後半葉）。電子科技的創新，大大影響了嚴肅音樂和通俗音樂。有了現代化的音響技術，樂迷可以在家裡和車上聆聽好音樂，這使得當代的聽眾拼命尋找新的表演名家，以及歷來偉大作品的更好的錄音版本，而非期待新的作曲家和音樂形式出現。

六、從正典中認識好音樂

我鍥而不捨追問多位專家，好不容易擬出一份古典音樂十大傑出作品的名單。請你也聆聽這些正典，然後自行判斷它們是不是你的十大。

1. 巴哈：〈B小調彌撒曲〉

最激勵人心的聖樂作品之一，蘊含深刻靈性和歡喜讚頌。

2. 貝多芬：〈第九交響曲〉

從黑暗逐漸轉成光明，以迴腸蕩氣的終曲作結。貝多芬把德國作家席勒讚頌四海之內皆兄弟的文字，譜成令人肅然起敬的樂曲。

3. 莫札特：〈安魂曲〉

多數人公認，這首安魂曲是合唱團與管弦樂的至高作品。然而，莫札特沒有完成此曲即過世，由他的弟子續成。安魂之意實諷刺也。

4. 蕭邦：〈夜曲〉

這幾首甜蜜親暱的鋼琴曲，會讓你的靈魂滿溢月華。（最好找到由鋼琴家魯賓斯坦演奏的宛如天籟的版本）

5. 布拉姆斯：〈德國安魂曲〉

這首樂曲的表達幅度寬闊，一端為永恆立言的不朽回音，另一端是極個人的情感與慰藉。

6.馬勒：〈第六號交響曲〉

馬勒以獨家的手法直探情感深處，歌頌著希望戰勝了絕望。

7.理查．史特勞斯：〈最後四首歌曲〉

這些爲女高音與管弦樂團所寫的歌曲，根據德國文豪赫塞和艾申朵夫(Joseph von Eichendorff)的詩譜成。華美的管弦樂鋪出美好背景，烘托女高音扶搖直上的旋律。史特勞斯在〈安睡〉一曲中描述靈魂的翱翔，堪稱西方音樂的絕美時刻之一。

「全明星」榜單的產生

我向衆專家探詢他們心目中的十大「巨星」。他們都不肯提出名單，而且抗議：「藝術不是這樣產生的。」然而，我窮追猛打繼續問：「如果你被困在一處荒島，只能攜帶十張古典或爵士音樂，你會選擇什麼？」既然霍爾維茲都已經指出：「又不是在挑選NBA明星球隊」，為什麼我還是要一份十大排行榜？因為，在你某個興趣範圍裡，不管是音樂、繪畫或品酒，從中挑出最愛並淘汰其它，為這些最喜愛的作品排出高低，然後清楚說出你為何如此選擇——這需要有清楚而深刻的考量和比較，因此能給你更豐富的欣賞和享受。與一位朋友比較彼此的排行榜，也是擴展學問及認識這位朋友的好方法。以適度的謙卑和輕鬆態度擬定你的排行榜，而這支明星隊伍是可以調整的。

8.德布西：〈前奏曲〉

這幾首鋼琴曲的每一首都如大珠小珠落玉盤，具體而微地展現了印象派的風格。

9.史特拉汶斯基：〈春之祭禮〉

爆發力強勁、具煽動性，節奏感十足，首演時引發聽眾情緒沸騰。

10.威爾第的〈阿伊達〉與普契尼的〈波西米亞人〉

專家們都同意，歌劇也應該在十大中佔有一席之地，至於該是哪一齣，卻沒有定論，所以這兩首並列。就現場表演來說，〈阿伊達〉會是一場難忘的歌劇經驗。就聆聽錄音來說，則難有其它作品能媲美〈波西米亞人〉，普契尼優美的旋律捕捉了浪漫的本質。(所有專家都說，務要找到最傑出的表演家與指揮家所做的最佳錄音版本。)

我們簡短介紹了不受時空限制的西方音樂傑作，但如果不談美國流行歌曲和爵士樂，會有缺憾。我們將會另外補充。

七、發展主動聆聽

誰說聽音樂是被動的活動?你可以採取更主動的方式，爲聆聽音樂帶來更多樂趣。練習下列「主動聆聽」的策略。

聽出一鬆一緊的模式　要加深對音樂的欣賞和享受，這是最簡單也最愉快的方法。所有的作曲家，不分音樂類別，都會運用方法營造張力，以及張力之後的釋放。作曲家利用節奏變化、轉調、休止與和弦發展等技巧，帶領聆聽者走過動與靜、旋律的高與低，目的在於提升音樂上的期待

爵士樂

以最佳手法表現出來的爵士樂，是聲音在混沌與秩序之間的舞蹈，表達並激發了創意的本質。霍爾維茲認為，爵士樂最重要的三巨頭是阿姆斯壯 (Louis Armstrong)、威靈頓公爵 (Duke Ellington) 及帕克 (Charlie Parker)。

小喇叭手暨歌手阿姆斯壯，可能是爵士表演中最重要的人物，他是數一數二的獨奏家，最激烈的搖擺者，也有最富魅力的個性。聆聽他與恩師喬「國王」奧立佛 (Joe "King" Oliver) 合錄的〈爵士蛇〉(Snake Rag)、〈杓子嘴藍調〉(Dippermouth Blues) 等音樂，然後再聽他自己的〈熱五〉(Hot Fives) 和〈熱七〉(Hot Sevens)、〈西邊藍調〉(West End Blues)，以及他在四〇年代及五〇年代為迪卡灌錄的熱門錄音，如〈在懶洋洋的河上〉(Up a Lazy River) 及〈街上的陽光面〉(Sunny Side of the Street)。

霍爾維茲說，威靈頓公爵是美國所有音樂類型中數一數二的偉大作曲家。其傑作包括長篇組曲如〈哈林〉(Harlem)、〈如此甜美的雷聲〉(Such Sweet Thunder)，以及〈遠東組曲〉(Far East Suite)。他的短曲也一樣棒，特別是〈愛拉·費茲傑羅的畫像〉(Portrait of Ella Fitzgerald)、〈黑與褐之幻想〉(Black and Tan Fantasy) 及〈穿衣的女人〉(Clothed Woman)。仔細觀察他從二〇年代到七〇年代編曲與作曲手法的發展。你會發現他獨特的琴風，也會陶醉在他與史翠宏 (Billy Strayhorn) 的絕佳合奏中。好好欣賞〈緞娃娃〉(Satin Doll)、〈孤獨〉(Solitude) 及〈搭乘A 火車〉(Take the A Train)。

至於這第三位不朽的爵士巨人，中音薩克斯風手查理「鳥」帕克，許多人說，他的每一場演出都天衣無縫。這說法聽來也許難以置信，但數十位頂尖的音樂家的確如此認為。除了令人驚嘆的獨奏之外，帕克與其他人的搭檔也展現活力和原創性。他曾與小喇叭手暈眩吉列普西 (Dizzie Gillespie)、鋼琴手西隆尼斯·孟克 (Thelonious Monk)、鼓手肯尼·克拉克 (Kenny Clarke) 和其他人聯手，成為「咆伯」(bebop) 的先驅。咆伯是四〇年代後期至五〇年代初期，現代爵士樂最初期的形式。值得搜尋的精彩作品包括戴爾唱片，包括「擁抱你」(Embraceable You) 的兩種版本，著名的「梅塞音樂廳爵士夜」音樂會，以及「查理．帕克與弦樂」(Charlie Parker with Strings)。

除了上述三巨頭之外，我還要求霍爾維茲推薦其他爵士藝術家，以及他們的一、兩首代表作，為這項偉大的美國音樂傳統提供一份理想的入門清單：

⊙班尼．古德曼 (Benny Goodman)：「唱．唱．唱」(Sing, Sing, Sing)，取自一九三八年卡內基音樂廳的音樂會。

⊙貝西伯爵 (Count Bessie)：幾乎所有作品都值得聽，特別是「巴黎的四月」(April in Paris)，尤其以愛拉．費茲傑羅所唱的版本最佳。

⊙米爾綴．貝利 (Mildred Bailey)：「我會閉上雙眼」(I'll Close My Eyes)、「鄉村多麼祥和」(It's So Peaceful in the Country)、「抱緊我」(Squeeze Me)。

⊙麥爾斯．戴維斯 (Miles Davies)：「有點憂鬱」(Kind of Blue)、「四與更多」(Four and More)。

⊙柯曼．霍金斯 (Coleman Hawkins)：「靈與肉」(Body and Soul)、「小城話題」(Talk of the Town。)

⊙比莉．哈樂黛 (Billie Holiday)：「好與柔」(Fine and Mellow)、她與貝西伯爵、雷斯特．楊和巴克．克雷頓的作品，以及五〇年代之後的晚期錄音。

⊙暈眩吉列普西：特別是四〇年代之後的大樂團作品。

⊙傑利．莫頓 (Jelly Roll Morton)：所有在「紅辣椒」(Red Hot Peppers) 的作品。

⊙納金．寇爾 (Nat King Cole)：「午夜之後」(After Midnight) 以及三重奏錄音。

⊙湯馬斯「胖子」華勒（Thomas "Fats" Waller)：「情人節舞蹈」(Valentine Stomp)、「不愛我就離開我」(Love Me or Leave Me)、「沒有不乖」(Ain't Misbehavin）。

⊙約翰．卡純（John Coltrane)：「我的最愛」(My Favorite Things)，「至高的愛」(A Love Supreme)。

美國的流行歌曲

美國在一九一〇到六〇年代這段黃金時期所產生的經典流行歌曲，乃是美國獻給世界的一大禮物。這些歌曲以其深情款款的歌詠，和對現代生活的禮讚，贏得全球聽眾的共鳴。在表達得最淋漓盡致的歌曲中，詞曲融成一氣，其水準足以媲美韓德爾的清唱劇。（我做此評判的主要標準，是看這音樂在百年之後是否還動聽，使人有所感動。）

我認為最出類拔萃的經典作品如下：

⊙喬治．蓋希文與艾拉．蓋希文（George and Ira Gershwin）：蓋希文寫出了〈波吉和貝斯〉（Porgy and Bess），有人稱此曲為美國第一齣歌劇作品。蓋希文融合早期的爵士、藍調和歐洲音樂，創造出極動聽又影響深遠的作品。

⊙理查．羅吉斯（Richard Rodgers）與奧斯卡．漢莫斯頓（Oscar Hamilton）：這兩人是一對絕佳拍檔，譜出了音樂劇的精品如〈奧克拉荷馬!〉(Oklahoma)及〈真善美〉(The Sound of Music) 等。

⊙亞倫．勒訥（Alan Lerner）與弗德列克．洛威（Frederick Loewe）：也是一對以迷人的戲劇插曲作品聞名的拍檔，代表作：〈窈窕淑女〉(My Fair Lady)。

⊙歐文．柏林(Irving Berlin)：他寫出悠哉的道地美國歌曲，如〈白色聖誕〉(White Christmas)、〈頰碰頰〉(Cheek to Cheek) 和〈說它並非如此〉(Say It Isn't So)。

⊙傑若姆．肯恩（Jerome Kern）：於一九二七年首演的〈演藝船〉(Showboat)，是音樂劇場劃時代的製作，奠定美國歌舞劇的基礎。

⊙寇爾．波特（Cole Porter）：波特的歌詞，是世故與機智的典型。搜尋愛拉．費茲傑羅灌錄的波特精選集，其中蒐羅了〈我愛巴黎〉(I Love Paris)、〈熱死了〉(Too Darn Hot) 及〈愛你入骨〉(I've Got You Under My Skin) 等經典之作。

與滿足。即使聆聽者不察，他也會不斷被領向音樂的高原，爬階梯，以及釋放。你不妨聆聽幾首樂曲，李斯特或披頭四都可以，看你能不能準確指出一些動力的關鍵時刻——營造高潮與高潮後的釋放。這和觀看浪花一波來一波去一樣簡單。

從元素的角度來欣賞　達文西那個時代的人，常從自然元素的角度來看世界：他們認爲，世界是由地、火、水和風等四大元素組成。以這角度來思考音樂，很有意思。你喜歡的音樂是由什麼元素主宰？試著以此爲你喜愛的作曲家分類。例如，雖說所有偉大的作曲家都會表達一切元素，我卻認爲，布拉姆斯和貝多芬表達「地」最淋漓盡致；史特拉汶斯基和蕭斯塔高維奇最能表達「火」；拉威爾和達布西能引發「水」的本質；莫札特和巴哈則是「風」的至高表現。你同意嗎？

學習分辨　學會了分辨的功夫，鑑賞力會隨著提高。在音樂方面，最簡單的層次是區分不同的類型，例如，分辨節奏與藍調和鄉村音樂的不同，古典音樂與爵士樂的不同。然後，進一步學會區分次類型，例如分辨紐奧良的爵士樂和融合（fusion）的不同，巴洛克與古典派和浪漫派的不同。至於辨認作曲家，是另一層次的鑑賞，可分辨出巴哈與布拉姆斯的作品，莫札特與蒙提維第的作品。接下來，開始辨認不同的獨奏家、管弦樂團、指揮和錄音版本的特色。

嘗試聆聽不同的管弦樂團和指揮家對同一首樂曲的詮釋。例如，先聆賞由小澤征爾指揮的波士頓交響樂團演奏馬勒的〈第六交響曲〉，波士頓交響樂團是頂尖的職業管弦樂團，每年預算高達四千九百萬美元。然後，再聆聽由仁德 (Benjamin Zander) 指揮的波士頓愛樂管弦樂團詮釋同一號作品，波士頓愛樂管弦樂團則是業餘的管弦樂團，由學生、業餘演奏家和幾位職業樂手組成，年預算四十六萬美元。把你聽出來的不同之處記在筆記本上。

你也可以聆聽不同的音樂家演奏同一種樂器，分辨其中差異。例如，把「國王」奧立佛演奏的〈爵士蛇〉從頭到尾聽一次，然後再聽一次，這次分辨「國王」吹奏的首席短號，以及阿姆斯壯的和聲短號。

聽出情緒　爲什麼某一首音樂會特別打動你的心弦？哪一些樂曲、歌曲和聲樂最能打動你？聆聽瘦皮猴法蘭克・辛納區早期的作品。他的聲音傳達出什麼樣的情感？然後再聽他與女影星愛娃・嘉納有了一段情之後的作品；〈紐約・紐約〉與〈奪標〉是此時期的知名範例。他的情感有什麼改變？

聆聽〈貝多芬第五號交響曲〉的第三和第四樂章的轉接，聽出勝利與生氣盎然。然後再聆聽〈貝多芬第三號交響曲〉的第二樂章，聽出悲劇、哀傷和憂愁。爲什麼這些音樂會如此影響你？

聽出文化與歷史的印記　音樂是人類文化的獨特標記，充滿了演進過程中各歷史時期的明顯印記。選出你最喜愛的作曲家及音樂類型，想辦法透過音樂出現時的背景來了解他們的作品。例如，欣賞饒舌歌時，是否應把它當成市中心貧民街區住民的詩意吟詠，脫胎自非洲的節奏和說故事傳統？又，巴哈結構嚴謹、井然有序的音樂，是否傳達出對上帝與世俗權威的尊敬，而這份對權威的崇敬，凸顯了巴洛克時期條頓民族的社會特色？

八、以音樂調節生活

想從欣賞偉大音樂中有所收穫，你會希望在不受打擾的情況下，好整以暇地聆聽。例如，全神貫注，從頭到尾聽一遍貝多芬的〈第九號交響曲〉，然後再聽一遍，你會發現它實在是耳朵、心靈和頭腦的一大饗宴。

你當然也可以在一整天的忙碌時光中，隨時享受達文西所謂「化無形爲有形」的好處。音樂會影響心情和情緒，警覺與感受。它能改變你的腦波（可能變好也可能變壞），能用來號召士兵上戰場，或鼓舞拳擊手走向擂臺。它能幫助嬰兒入睡，鼓勵植物生長，也能安慰病患。

記下日常生活裡的各種活動，尋找最適合的伴奏音樂，好好兒利用聲音的力量。然後，據此安排生活。例如，你可以從范吉力斯（Vangelis）的〈火戰車〉樂聲中醒來，以莫札特的小提琴協奏曲伴讀，而在喜多郎的〈絲路〉中悠悠入睡。

C 香氣的覺察

每一天，從早到晚，我們都會碰到五花八門的氣味。我們的五百萬個嗅覺細胞，可以在每一兆空氣分子中嗅出一個發出味道的分子。我們每天呼吸兩萬三千次，總計處理四百四十立方呎的五味雜陳的空氣。

但大多數人形容氣味的詞彙都很有限：「臭死了」和「好香」，是最常見的兩種說法。力求擴展你的嗅覺詞彙，以此增加你分辨及欣賞氣味的能力。香水師把氣味分成花香（玫瑰）、清涼（辣薄荷）、麝香味（麝香）、靈妙（西洋梨）、樹脂味（樟腦）、惡臭（腐蛋）及辛烈（醋）。在嘗試下列練習時，利用上述這些術語，自創形容詞。

一、**你此刻聞到什麼？**

描述你此刻聞到什麼氣味，用語盡可能生動而深刻。然後，仿照你最親愛的狗兒朋友，用鼻子探索你附近的環境。吸進這本書的氣味，或一個空咖啡杯、你的手掌、你椅背的味道。在筆記本記下你的感覺。

二、**一整天都與「氣味」有關**

你一天裡聞到些什麼氣味？找出不尋常的味道或強烈的香氣。在你最喜愛的美食店賣乳酪的櫃臺附近逛；開車到鄉間；漫步走過穀場空地；吸進廚房中所有藥草和香料的香氣。氣味如何影響你的心情？你的記憶？想辦法找出影響你情緒或記憶的例子，並記錄下來。

三、**嗅覺的大拼盤**

這個練習和朋友一起做會更容易，也更有趣。收集各式各樣具有獨特香氣的物品，例如一朵玫瑰、一片西洋杉、一枝香草豆莢、一位密友剛穿過的T恤、一小片海草、一瓣柳橙、一把泥土、一件皮衣、一支上好雪茄、一片剛切下的生薑。把眼睛蒙上一塊布，要朋友依序握住每一件物品，湊近鼻子三十秒。描述每一種氣味，以及你對它的反應。

四、自製香水

進一家賣芳香產品的店，收集主要的香精油：薰衣草、丁香、玫瑰、油加利等等。依你荷包的能力盡量購買。每一種香氣對你有什麼作用？對你的朋友呢？試著把幾種香氣配在一塊兒，調製出你最喜愛的香味。

五、研究芳香療法

古代的埃及人、希伯來人和中國人，早就利用植物和藥草的香氣來做治療。在古典時期與達文西的時代，流行以自然藥草和香味來治療，到了二十世紀末的今天又大行其道。到書店找一找與這個快速竄紅的主題有關的書籍。

D 味覺

對大多數人而言，一天至少有三次運用味覺的機會。但在匆忙的生活中，很難留意味覺。我們吃飯時太常速戰速決，吃完卻食不知味。不可以這樣。在吃東西前，先暫停幾分鐘，仔細想想你即將大快朵頤的食物從何而來。務求在品嚐第一口食物時，就百分之百處在當下。

一、培養比較式品嚐法

聆聽偉大的音樂，是開發聽力的絕妙方法；比較兩場偉大的現場演出，更有成效。嗅覺和味覺也是如此。品嚐佳餚，啜飲美酒，能

你大約有一萬個味蕾，每一個味蕾的味覺細胞可多達五十個。你的每一個味蕾各司其職，各自察覺甜、酸、苦和鹹味。甜味的感應器分佈在舌尖，酸味在舌頭兩側，苦味在舌根，鹹味感應器則遍布舌頭表面。

不斷提供愉悅的感官教育，而透過比較性的鑑賞，可以大幅加速嗅覺和味覺敏銳度的發展。嘗試下列練習：

買三種不同的蜂蜜（例如，柳橙花、野花和苜蓿），打開罐子各聞三十秒，形容一下你所聞到的香氣。然後依次品嚐，把半匙蜂蜜含在嘴裡，用舌頭攪動。在品嚐另一種蜂蜜之前，喝一點礦泉水，澄清味覺。描述不同的香氣和味道。

現在，以同樣的過程品嘗以下各物：三種橄欖油、巧克力、香菇、啤酒、蘋果、罐裝水、燻鮭魚、魚子醬、葡萄、香草冰淇淋。

二、品酒的學問

美酒是一門可以啜飲的藝術。它是豐饒大地的液態精髓，就如富蘭克林所觀察的，酒是「上帝愛我們，希望看到我們幸福」的明證。若想精鍊嗅覺和味覺，那麼學習鑑賞及享受葡萄酒，是最有力、也最有趣的方法。（如果你不喝酒，可選用不含酒精的葡萄酒來練習。）

如果想辦一場成功的品酒會，你需要有下列準備：一個氣氛和諧且光線充足的環境，讓你可以好好兒欣賞葡萄酒的顏色（講究的人並且一定要鋪白色桌巾，使酒的顏色充分展現）；一籃硬皮麵包；礦泉水，用來在品嚐不同的酒之間澄清味覺；上好的酒杯，用以充分顯出香氣和味道，最好的品牌是賴德牌（Reidel）水晶杯。當然，要準備開酒專用的拔塞鑽和好酒。

你可以爲這場品酒會定個主題。例如，分別品嘗頂級的加州

達文西調製個人古龍水的配方：「拿一些新鮮的玫瑰水把手濡濕，然後把薰衣草的花朵在手掌間摩挲。味道很舒服。」

夏多尼 (chardonnay)、皮諾黑 (pinot noir)或蘇維儂 (Sauvignon) 紅酒，與價格相近的勃艮地紅、白酒，或法國的波爾多紅酒三者之不同。也可以品嘗來自達文西家鄉托斯卡尼地區的三種不同年份的香提 (Chianti)。試試安提諾利(Antinori) 生產的古典德努達(Classico Tenuta)。在達文西出生時，安提諾利家族已是此地素有名望的釀酒商。一九八八、一九九〇與一九九三年，是他們產品中現有的最佳年份。

品嘗，固然是葡萄酒的主要樂趣，不過，若要充分享受酒，就要把所有感官都用上：感覺一下，酒瓶握在手中，聽聽拔開軟木塞的美妙聲音，指尖碰觸一下軟木塞的質感，再聽聽葡萄酒傾注入酒杯的咕嚕聲。接著，把酒杯舉向光源，凝視酒的顏色；然後搖晃酒杯，讓酒散發香氣。把鼻子湊近酒杯，體會它的氣味。慢慢享受這香氣，並描述香味中有哪些要素。然後，喝一口酒，讓酒在上顎間流動，體會那味道、質地及感覺。現在，嚥下這口酒，你會發現流連不去的味道和感覺。最後這一種要素稱爲「餘味」(finish)，是一瓶好酒至高無上的標記。最好的葡萄酒在你吞下肚後，餘韻還會留在口中達一分鐘之久。

使用精準並富詩意的字眼，形容品酒過程的各個階段。

除了借用有經驗的品味師所用的文字外，你也可以自創形容詞，以提高你的享受和鑑賞力。盡可能富有詩意與想像力。(提示：多喝一些之後，所用的字眼會更活潑)。最近，在一場爲一家大石油公司出納部舉辦的品酒會上，一位宣稱自己對葡萄酒一無所知的會計師，把一種優雅的酒形容成「在一場溫暖的雨中撐起一把黃傘」，因而得獎。

累積了品酒的經驗之後，你會發現自己對其他味道和氣味的鑑賞力也提高了。乾杯！

E 觸覺和感覺

你的大腦從五十多萬個觸覺偵察器和二十多萬個溫度感應器接收資訊。然而達文西感嘆，大多數人「觸而無感」。欲培養「有感覺」的敏銳觸覺，秘訣在於一種開放接納的態度，學習用雙手和全身來深刻「聆聽」，你在下列練習將會有所體會。

一、如天使般的碰觸

端詳維洛其奧的畫作〈基督的洗禮〉或〈聖母的臉〉。想像達文西在塗上了一層層薄紗般的顏料時，會是什麼觸感。現在，用達文西那種纖細輕巧的手法，碰觸你周圍的物品。這本書、它的封面和內頁，你衣服的質料，你的頭髮，你的耳垂，你指尖的空氣。碰觸你周圍的世界，彷彿你是頭一回體驗這種種感覺。

把同樣的觸感帶進你下一次的親密接觸，你的愛人一定會成爲頭號的文藝復興迷。

二、蒙眼的接觸

邀請一位朋友一同做這個練習。盡可能收集下列物品：一個橡皮球、一條絲巾、一件陶藝品、一條魔術氈、一個彈簧玩具、一片葉子、一碗冰、一把鐵鎚、一件天鵝絨毛衣，以及任何你想探索的物品。把眼睛蒙有經驗的品味師，使用上百個字眼來分析及描述好酒。有些一望即知其意，有些則需要推敲。下列的品酒術語中，有些出自達文西的母語義大利文，都是最有意思的說法：

友善：易入口的、溫柔、略甜。

貴族氣：以來自最豐收的年份，種於最佳土壤的最棒葡萄所釀成的酒。

均衡：陰 (酸度) 與陽 (果味) 完美的調和。

黑醋栗：典型的 cabernet sauvignon香氣。

奶油般的感覺：指酒的質感和入口的感覺。

愛撫：被撫摸的感覺、流動感，如聖安娜的頭髮。

複雜：多面向，不同層次的香氣、味道和質感。

慷慨：很討喜，味道、萃取和酒精都很濃冽。

豐滿：沒有稜角，圓潤又飽滿。

如絲一般：一種均勻、立體的質感。

織品：正點，感覺很海派、複雜飽滿，餘韻強烈。

柔順：和藹可親的，很容易入口的。

如天鵝絨：類似「如絲一般」，但更馥郁。

刺激有勁：對白酒來說恰到好處的酸度。適當的酸度能提供鑑賞味道的結構，也會刺激胃液，使好酒成為幫助消化的理想助手。

住，用你那雙願意接納又懂得傾聽的手，探索每一件物品。然後，逐一形容各物品的質地、重量、溫度等等感覺。

三、**碰觸自然**

走到戶外，探索大自然的肌理：不同樹木的樹皮和樹葉，青草、花瓣、泥土，狗或貓的毛。

四、以「**碰觸**」爲一整天的主題

感覺一下，碰觸到不一樣的人時各有什麼質感：握手的力度，擁抱的溫暖，一吻的輕柔。想一想，在性愛之外，你覺得最過癮的碰觸經驗是什麼。是什麼使它感覺這麼棒？如何把你與心愛的人在碰觸時的質感帶到其他人身上？爲朋友做腳底按摩，也爲自己安排一節按摩，這會收穫良多。

G 感覺統合

所謂感覺統合，指的是感官的融合，它是偉大的藝術及科學天才的共同特徵。透過培養感覺統合的覺察力，你可以提高感受力。一個簡單的入門方法：練習以一種感官來描述另一種感官。嘗試下列幾種練習：

一、**畫出音樂**

聆聽你最喜愛的音樂。在聆聽時，試著以形狀和顏色畫出你的印象。

二、**爲顏色訂出聲音**

凝視一幅你喜愛的繪畫複製品。把畫布的顏色、形狀和質地帶來的啓發，以聲音表現出來。

三、**化無形爲有形**

如果你要雕塑一件音樂作品，你會用什麼素材？會雕出什麼形狀？你會用什麼顏色？這音樂聞起來是什麼味道？如果你能咬一口音樂，它的味道會是如何？至少以兩件你最喜愛的音樂作品，來嘗試這個必須運用想像力的多感官雕塑練習。

四、**大搬風**

回顧你所開出的偉大藝術家和作曲家名單。以他們的作品，而非本人的個性，爲他們換位。換個方式來說：如果米開朗基羅是音樂家，他會是誰？如果莫札特是畫家，他又會是誰？例如，依我之見，如果米開朗基羅是音樂家，他會是貝多芬；如果莫札特是畫家，他會是拉斐爾。這個練習跟朋友一起做會很有趣。大家想出幾個大搬風的例子後，各人分別解釋爲什麼這樣認爲。

五、**以感覺統合解決問題**

想一個問題、挑戰或難題。賦予它顏色、形狀和質地。想像這個難題聞起來和嘗起來會是怎麼樣。它摸起來感覺如何？某些可能的答案，具有什麼質地、味道、形狀、顏色和聲音？

六、**做一道感覺統合的義大利濃湯**

義大利濃湯是達文西最喜歡的家常菜。以下這份義大利濃湯食譜，以

給父母的建議

在一項已成經典的研究中，一組幼鼠被放在一個缺乏知覺刺激的環境，另一組幼鼠則在有豐富感受的環境中養大。知覺經驗貧乏的那一組幼鼠，大腦的發育不良，無法從簡易的迷宮找到出路，社會行為也傾向於使用攻擊和暴力。知覺經驗豐富的那一組老鼠，發育出較大、連結較好的大腦，一下子就學會在複雜的迷宮裡進出，也一起快樂玩耍。用老鼠來做這種實驗，是因為它們的神經系統與人類有很多相似之處。所以，你要傾全力在家裡創造一個滋養大腦的環境，而且從子宮開始。佛尼博士 (Dr. Thomas Verny) 和其他許多人的研究都顯示，尚未出世的嬰兒，可能會因聆聽莫札特之類的音樂而獲得正面影響。待他們呱呱落地，抓住所有機會，為他們創造一個豐富而精緻的感官知覺環境。許多充滿愛心的碰觸和依偎，對於成長期嬰孩的神經與情緒發展特別重要。嗅覺和味覺的精緻化，等孩子大到能欣賞微妙之處時還不遲；但視覺的敏銳、對顏色的喜歡、對聲音的欣賞，以及自然而然的感覺統合，可以透過素描、藝術和音樂課，以及每天浸淫在美感中加以培養。

我祖母羅莎的食譜爲基礎，稍稍經過調整。當你依照食譜做出這道湯時，不但可以強化所有的感官，還可以使它們個個滿足。我祖母不但是個出色的義大利廚師，還是一位極具天賦的畫家。在這項練習中，你會像一位感覺統合的藝術家。食譜如下：

材料：一杯圓筒豆（cannellini beans），這是一種高品質的罐頭豆子。

三百公克的瑞士甜菜（切成條狀）。

三支中等大小的綠皮胡瓜（切成半公分厚的薄片）。

兩個黃洋蔥（切碎），五瓣中等大小的大蒜。

四個鮮紅的蕃茄（切成塊狀），兩根胡蘿蔔（切丁）。

四支清脆的美國芹菜（切成條狀），四片皺葉甘藍。

三個中等的馬鈴薯（煮成半熟，切塊）。

上等橄欖油，兩杯蔬菜湯（可用雞湯或牛肉高湯代替。）

帕美桑乾酪（或陳年羊酪）的硬皮。

新鮮的九層塔、俄勒岡葉（oregano，薄荷科植物）、黑胡椒。

另外，把長米或義大利捲心麵煮成不軟不硬，加進去。也可以不加。

在開始切或剁蔬菜之前，先把它握在手中，感覺它的重量、質地、形狀和顏色。吸進每一種材料的香氣，唱出或哼出代表它特質的音符。

用一個大鍋，先用橄欖油慢慢煎大蒜、美國芹菜、胡蘿蔔和洋蔥，煎到洋蔥變成透明。然後加入其他蔬菜、高湯、少許剛磨碎的黑胡椒，用小火慢燉。不斷輕輕攪拌。如果你希望湯多一些，就倒進少量的高湯。把乾酪硬皮丟進去。

各種顏色、質地和香氣開始混成一氣。唱出或哼出這個呼之欲出的味覺與嗅覺交響曲。

文火慢燉至少三小時，直到所有的材料都融在一起。

當你吸進這些顏色，你的感官泅泳於其中時，開始用美麗的義大利手勢來表達你的濃菜湯經驗。

加入豆子。如果你喜歡，可以在上菜前十分鐘加入煮好的米或義大利麵。灑下磨碎的乳酪，也可以加一些橄欖油。最後以新鮮的九層塔或俄勒岡葉裝飾。與剛出爐的義大利麵包和一杯酒或礦泉水一起上菜。

本來是各自獨立的音符，現在都融成一體。唱或哼一首你的義大利濃菜湯之歌，或跳一支你的義大利濃菜湯之舞。

七、創造一個屬於你自己的大師級工作室

在職場建立一個鼓勵平衡發展與創意的文化，是一項複雜的任務。然而，有一個簡單又具體的步驟，可以朝正確方向邁出，那就是創造一個屬於你自己的大師級工作室。你可以用這塊空間進行腦力激盪、研擬策略，以創意解決問題。阿莫科(Amoco)石油、杜邦和朗迅(Lucent)科技等公司，都善用了這些觀念。著手之前，先考慮下列要素和資源：

房間　找一間會議室或用具存放室、地下室或空出來的辦公室，把制式的陳設和電話統統搬走。在門口貼上「文藝復興室」、「創意中心」、「達文西實驗室」、「智囊團」等標籤。

照明　自然光最好，所以，找一個有窗戶的房間。把標準的日光燈換

成防紫外線的日光燈、鹵素燈或白熱燈泡。

聲音　裝設一套品質不錯的音響系統，在腦力激盪和休息時間播放爵士或古典音樂。(加州大學爾文分校最近做的一項研究顯示，受試者做智力測驗時如果聆聽莫札特的音樂，成績都會顯著提升，雖然不是持久的提升。)

美感　在牆上掛起有意思的藝術作品，或在天花板掛一個動態雕刻，不時更換藝術作品，使它常保新鮮。把活生生的綠色植物和鮮花帶進來。

家具和設備　擺設幾張舒服的長沙發、椅子，放幾個地板靠枕，甚至掛張吊床。提供充足的空白筆記本(盡量買最大號的)和彩色筆、螢光筆(水性無毒的)。再加上頭頂放映機(品質好且安靜的機型)，以及掛在牆上的大型白版。

風水　這是一套歷史悠久的中國概念，講究在屋裡擺設鏡子、屏風、噴泉和家具的位置，以便調和陰陽，與大自然達成和諧。現在，諸如大通銀行、花旗銀行和摩根保證信託等西方公司，以及數不盡的東方公司行號，都請風水師來創造一個對頭腦有益的環境。

空氣　大多數的室內環境空氣都不流通，不是太熱就是太冷。最好設置一部暖氣或風扇。除濕機或空氣清淨機(綠色植物在此能發揮功能)也許派得上用場。試著使用各種香氣，如百花香料、焚香或香精油(辣薄荷可以提神，薰衣草可以放鬆)。

工作中的感官知覺

達文西強調，一個在美感上能振奮人心的工作環境非常重要。他知道，日常環境的感官印象是一種大腦的糧食。然而，絕大多數置身企業組織裡的人，都飽受大腦營養不良之苦，這是平常吃多了感官的「垃圾食物」所致。我們的工作場所，有如政府機關、醫院、學校和監獄，多半使用隔間、牆上漆著千篇一律的顏色，頂上是慘白的日光燈。不禁讓人懷疑，做出這些設計的基本假設，是不是認為，剝奪了感官知覺可以增進生產力。

諷刺的是，企業組織紛紛發出緊急呼籲，徵求創意、革新和全員參與。然而，組織一方面要求員工「跳出盒子來思考」，一方面卻還是把員工關在盒子裡。當組織要求員工展現創意和革新時，組織本身也必須提供足以鼓勵員工提供這些創意的環境。

多年來，心理學家已經得知，外在環境所提供的刺激，對於一個人早年的頭腦發展有關鍵的影響。

然而，研究大腦的科學家最近發現，環境刺激的品質也會影響成人頭腦的持續發展。從我個人經驗的一個小故事中，可看出如何建立一種工作環境，使之帶來嶄新、更有創意的組織。

一九八二年，一家醫療器材公司的學習資源小組，要我幫忙解決一個問題。這個小組負責訓練顧客使用並維修一部處理複雜診斷測試的儀器。為了節省成本，這部機器的訓練必須在一周內結束。問題是，訓練常要兩、三周。

我第一次造訪訓練場所時，對於那些尖端的互動訓練技巧嘆為觀止。學生參加先進的電腦化課程，也有真正的儀器可以操作。然而，學習的環境卻是典型的概念：牆上漆著千篇一律的顏色，還有日光燈等等。對於美感唯一的嘗試是：每一部儀器的上方，掛著大幅的儀器圖。學生在早上和下午各有一次休息。

為了提供解藥，學習資源團隊三十九名成員，全部接受三天的訓練課程，著重把達文西式的思考技巧應用到實際的問題。他們回到工作場所的第一天，協助訓練的人員實驗在工作時間播放莫札特的小提琴協奏曲。從那一天起，他們說，學生所提出的「不必要的問題」，至少減了一半。他們認為是音樂幫助學生放鬆心情並集中精神，使他們不需要刻意來個「困惑不解」，以便從一成不變的單調中休息一下。

協助者在這個學習實驗室還做了其他的改革：

把儀器圖拿走，換上他們最喜愛的繪畫複製品。

把日光燈改成全光譜的燈泡。

鼓勵學生把鮮花帶進教室，使環境變得更美麗、芬芳，更有生氣。

把咖啡休息室轉變成「創意休息室」，裡面擺滿彩色筆和空白筆記本以供塗鴉，他們還提供組合玩具、黏土和彈簧玩具，以使觸覺更為活潑。

鼓勵學習者每一小時花幾分鐘讓「大腦休息」。

學習資源小組自己花了一年時間，研究這些改變造成的效果。結果發現：學習成效改善了百分之九十。

包容

願意接受曖昧不明，擁抱
弔詭及不確定

當你喚醒好奇的能力，探索經驗的深處，並磨練感官知覺後，你就與未知面對面。在不確定的情境中保持開放——這是你釋放創造潛能的最大秘訣。而「包容」的原則，就是通往這種開放的鑰匙。

在義大利文中有一個字："Sfumato"，可譯成「變成迷霧」或「煙消雲散」或「煙燻」。藝評家用這個詞來描述達文西繪畫最顯著的特徵，亦即一股迷濛而神秘的特質。這個效果，來自於達文西不厭其煩一遍又一遍塗上一層層薄紗般的顏料；這也是達文西的一個絕佳比喻。達文西不斷追問，堅持以感官探索經驗，使他獲得許多偉大的見解和發現，但也導致他面對浩瀚的未知，以及最終的不可知。然而他非常懂得掌握「對立的張力」，懂得如何擁抱不確定、曖昧不明和矛盾，此爲他才氣縱橫的重大特徵。

「對立的張力」這個主題，在達文西的作品中一次又一次出現，並隨著他年紀增長而愈益強烈。他在〈繪畫論〉中談到畫家的理想主題時，就說起對立的意象：

所有動物、植物、水果、風景、起伏的平原、崩塌的山脈、使觀者恐懼不已之地的本質；一轉瞬即成美好的地方，草地上開滿豔麗的花朵，一派賞心悅目，迎風搖曳，風兒才拂過，又回頭凝視它們。

達文西對於美的研究，也促使他探索各式各樣的醜陋。他對於戰爭、怪誕景物和大洪水的速寫，常常與花朵和美少年的華美描繪並列。當他在街上看到一位畸形或怪異的人物，常會一整天跟在那人後面，記下許多細

「心中沒有懷疑的藝術家，成就極為有限。」(達文西語)

達文西在一四八三年完成委託作品〈石窟的聖母〉，對比的張力，是此畫的中心主題。誠如布藍利所言：「達文西以一個統籌的原則來構圖〈石窟的聖母〉：差異，對比。聖母、小孩和幾乎漾著微笑的天使，形成安詳的組合，周圍卻環繞著暗示世界末日的淩亂背景……從荒蕪的石頭上開出花朵。達文西似乎在說，無玷懷胎，鋪下了十字架的極度痛苦。本該是歡樂的泉源，卻暗含著骷髏地 (耶穌被釘於十字架之地) 的種子。」

節。有一次，他爲城裡一群長相怪異的人辦了一場聚會，席間他妙語如珠，逗得眾人樂不可支，臉上的五官因爲歇斯底里的大笑顯得更爲扭曲變形。聚會一結束，達文西便通宵達旦速寫他們的臉孔。克拉克解釋了達文西對醜陋的好奇，說那是出於「使人們在哥德教堂雕刻怪物狀箕嘴的動機。箕嘴與聖人互補；達文西的滑稽畫，則與他對理想美永不厭倦的追求相輔相成」。

達文西對於對立與矛盾的沈思，以不同的形式出現。它表現在他對雙關語、笑話和幽默的熱愛，也見諸他對筆記本中隨處可見的謎語、難題和繩結的著迷。他的繪畫、速寫、塗鴉，以及刺繡、拼花地板和瓷磚的設計，常常出現繩結、辮子和渦卷的主題。凡薩利如此觀察：

> 達文西花許多時間設計繩結的圖案，它們左纏右繞，線頭可以從一端追溯到另一端，形成一個圓圈。這些美麗又複雜的圖案中，有一個被刻在雕版上，上面刻著「里奧納多達文西學園」。

「對於一個中世紀的頭腦來說，懷疑的可能性並不存在。」(曼徹斯特語)

達文西被這個無限形狀迷住了，不只是因爲他喜歡用自己的名字玩文字遊戲——在他那個時代，環結圖案被稱爲「達文西的想像」。布藍利稱這些環節圖案爲「世界的無限與統一的象徵」——隨著達文西的知識日漸深厚，矛盾和神秘也逐一浮現，繩結，就是達文西對於矛盾的一種詼諧表達。

達文西對於各種事物的認識愈深，就愈是要鑽研曖昧

達文西的〈胡桃鉗人與美少年的研究〉

不明。當他對於神秘與對立的覺察漸增，他對於矛盾的表達也漸深刻。這在扣人心弦的聖約翰像中表達得淋漓盡致。克拉克論道：

施洗者聖約翰在真理與光亮之先而至。這必然在真理之先而至的，是什麼呢？是一個問題。達文西的聖約翰是一個永恆的問號，是創造的謎團。因此他成為達文西的熟人——站在他肩膀的精靈，提出無法回答的謎題。他具有獅身人面獸一般的微笑，以及詭譎身形的力量。我曾經指出，這個帶有疑問句之上揚節奏的手勢，在達文西的繪畫中到處可見。此處，它最得其中三昧。

達文西的〈施洗者約翰〉

當然，〈蒙娜麗沙〉是達文西表現弔詭的極致。她那一抹微笑中所蘊含的神秘，歷來不知使多少人洋洋灑灑發抒感受。布藍利稱蒙娜麗沙爲「與基督等量齊觀的女性」。寫下經典著作《文藝復興》的佩特（Walter Pater），形容蒙娜麗沙「由內而外發散美麗，一個細胞一個細胞沈澱出奇思怪想和熱情」。心理學家佛洛伊德則說，這幅〈蒙娜麗沙〉「完美再現了主宰女人愛情生活的對比」。

蒙娜麗沙的微笑，恰恰介於善與惡、同情與殘酷、誘惑與無邪、稍縱即逝與永恆等等對比之尖。她是西方世界中相當於中國太極符號的象徵。《藝術的故事》一書作者貢布里希，幫助我們了解達文西如何達到「包容」，這弔詭本質的極致表現：

> 模糊的輪廓與柔和的顏色……使一個形體融入另一個形體，總是留了一些讓我們想像玩味……凡是嘗試過素描或速寫一張臉的人都知道，所謂的臉部表情，主要憑藉兩個特徵：嘴角與眼角。而就是這兩個部分達文西刻意不加以細描，卻讓它們融進一片柔和的陰影。這就是為什麼我們一直不知道，蒙娜麗沙到底以什麼樣的心情凝視著我們。

貢布里希指出，畫像兩邊有意的不對稱，以及「對肌膚幾近神奇的描繪」，更增添其神秘效果。

圍繞著蒙娜麗沙的諸多神秘中，最神秘的恐怕就是她的身分了。她究竟是誰？是如同凡薩利在達文西死後三十年所宣稱的，她是法蘭西斯哥・

喬康特的妻子？還是如史悌特斯博士在《達文西的昇華》一書中所主張的，她是伊莎貝爾·德斯特，曼托侯爵的夫人？

又或者如其他人的推測，她是朱利安諾·梅迪奇的紅粉知己，帕瑟菲卡·布藍達諾 (Pacifica Brandano)？或是安布薩大公的情婦？會不會，她是達文西一生中所認識的女性的綜合體：他的母親、貴族的妻妾、他花費無數時間觀察並速寫的農婦及街上的行人？又或者是如同某些人推測的，這其實是一幅出類拔萃的自畫像？

達文西的自畫像與蒙娜麗沙的並置

上述各種推測當中的最後這一項理論，也就是認為〈蒙娜麗沙〉是達文西自畫像的這說法，是根據美國貝爾實驗室的史瓦茲博士（Dr. Lillian Schwartz）所提出的證據。史瓦茲運用精密的電腦模擬，佐以精密的比例和對齊度量，對照比較了〈蒙娜麗沙〉一畫與僅存的一張達文西自畫像，這是達文西以紅粉筆在一五一八年畫成的作品。史瓦茲說：「若想融合這兩幅影像，只要把它們並列就可以了：這兩幅畫的鼻子、嘴巴、臉頰、眼睛和額頭的相對位置，完全吻合。只要把（自畫像的）嘴角往上揚，就會產生那抹神秘的微笑……」

史瓦茲總結說，這幅世上最著名的繪畫，其模特兒不是別人，正是大師本人。

也許，〈蒙娜麗沙〉果眞是達文西的靈魂自畫像。不管蒙娜麗沙其人究竟何許人也，她都闡釋了「弔詭」在達文西世界觀中的份量。

包容與你

過去，只有像達文西這種一流的天才，才能做到對於不確定事物維持高度的包容。但環境變化的腳步加快，生於二十世紀的我們，身邊充滿了變數，看似確定的表面假相，也漸漸難以維持。我們必須在日常生活中做到，即使處在曖昧不明的情況下仍能欣欣向榮。這種在弔詭中還能泰然自若的能力，不僅是行事有效的關鍵，更是在這個快速變遷的世界中保持清醒的訣竅。

在下頁的評量表中，以一到十的分數，評量你自己容忍曖昧事物的程度，分數一，代表無時無刻都想抓住一份確定感，分數十，則代表一位開悟的道士或如達文西。你可以改變哪些行爲，而使分數愈來愈接近十分？下列的練習能幫助你增加包容力。首先，請花一點時間作自我評量。

包容：自我評量表

□我不會因為曖昧不明而覺得不舒服。

□我很習慣自己的直覺。

□我因為改變而有活力。

□我每天都看到生活幽默的一面。

□我傾向於遇到事情即快速下結論。

□我喜歡謎語、字謎和雙關語。

□我通常能感覺自己正在焦慮。

□我花很多時間獨處。

□我心中有互相矛盾的觀點，而我不覺得怪。

□我很喜歡弔詭，也對反諷很敏感。

□我知道，衝突對於激發創意是很重要的。

應用和練習

好奇等於不確定

回到你在好奇那一章所列出的十大人生問題。哪一個問題使你產生最高程度的不確定或模稜兩可的感覺？這些問題的核心有無任何弔詭？在你的筆記本上試著畫一些抽象畫。找出這其中的某個問題，爲它所引發的不確定感做些速寫，然後嘗試以手勢或即興舞蹈來表達那種感覺。如果你不確定該怎麼做，你就掌握要點啦。你會用什麼音樂來爲你的曖昧之舞伴奏？

與曖昧爲友

在筆記本上，列出三個你生命中曾遭遇的，或現在正在承受的曖昧不明情境，並簡單敘述一下。例如，你以前曾在等待，不知是否能進入心目中理想的大學；或你正在猜測，你的公司會不會精簡人事；或設想你眼前這份情感關係接下來將如何發展。

形容一下，曖昧不明是怎樣的感覺。當你覺得曖昧時，身體會有什麼反應？如果曖昧不明有其形狀、顏色、聲音、氣味和味道，它們各會是什麼？你對於曖昧不明的感覺有什麼反應？曖昧和焦慮的關係如何？

一、觀察焦慮

對許多人而言，曖昧不明就等於焦慮；可是，除非曾與優秀的心理治療師密切工作過，否則許多人在焦慮時並不自知。他們對於焦慮的反應，是某種自動的避免行爲，例如喋喋不休、倒一杯飲料、伸手抓一根香菸，或任幻想在心頭縈繞不去。要能在不確定和曖昧不明中還能保持生機，我們首先必須知道自己何時處於焦慮。當我們愈來愈能意識到自己的焦慮，就能學著接受它、體驗它，並且擺脫有限的強制想法和行動。

描述焦慮的感覺。所有的焦慮都一樣嗎？你身體上哪裡會感覺到焦慮？如果焦慮有形狀、顏色、聲音、氣味、味道，它們各會是什麼？把「焦慮」當成一天的主題。記下你的觀察。

二、你是否不能容忍曖昧不明

計算每一天裡你使用絕對詞的次數，例如「完全」、「總是」、「當然」、「必須」、「從不」以及「絕對」。

注意你如何結束一場談話。你通常是以一句陳述句或一個問題作結？

培養對困惑的容忍度

這項包容原則，碰觸到存有的本質。白晝與黑夜相隨，我們接受歡樂的能力，也來自於哀傷。我們每一個人，既是自己這個獨一無二的小宇宙的核心，也是一顆微不足道的宇宙塵埃。在所有的兩極對立中，生與死最是讓人畏卻三分。死亡的陰影，賦予生命潛在的意義。

你可以藉由容忍困惑，面對弔詭，磨銳感官，並擁抱創造性的張力，以此開發如同達文西的力量。選擇下列任何一項弔詭的命題來做沈思練習：

歡樂與哀傷　想一想你生命中最哀傷的時刻。哪一個時刻你最快樂？這兩種狀態有什麼關連？你曾經同時體會歡樂與哀傷嗎？達文西曾寫道：「樂極生悲。」你同意嗎？反過來說，是否大悲也能生樂呢？

親密與獨立　在你最親密的關係中，親密與獨立的關連爲何？你可以只有其中一項嗎？這種關連曾經引起焦慮嗎？

長處與弱點　至少列出你的三項長處。然後列出至少三項弱點。這些優缺點有什麼關連？

善與惡　不承認也不了解自身有邪惡衝動（榮格所謂的「陰影」）的人，能算好人嗎？假如否認或沒有意識到這陰影存在，會有什麼後果？你如何認出自己的偏見、恨意、憤怒、嫉妒、妒羨、貪婪、驕傲和懶散，並接納它們，而又不表現出來？

變化和不改　找出你一生中三個最顯著的改變。並找出三件始終沒有變的事物。所謂「事物變得愈多，就愈是保持原樣」這個觀念，到底是言之成理的警語，還是無趣的老生常談？達文西對此有一些看法：「恆定不變，可比做鳳凰。鳳凰知道自己命定必須重生，因此能恆久忍受那把它燃燒殆盡的火焰，然後從火中脫胎換骨。」

卑下和驕傲　想一想你生命中最感驕傲的時刻，再回想你覺得最卑下的時刻。想辨法重現你對於眞正的卑下與眞正的驕傲最刻骨銘心的感覺。這些感覺有什麼不同？在謙卑和驕傲之間，可有什麼相似性？這些特質勢不兩立嗎？

目標和過程　想一想你曾經達成的一項重大目標。描述你爲了達到目標所經歷的過程。你曾經即使功成名就，卻不覺得充實嗎？在目標與過程，行動與存在之間，有什麼關係？可以爲達目的不擇手段嗎？若希望人生成功而充實，以下何種方式是正確的：一、百分之百達成清楚界定的目標；二、深切體認到，活在當下與活出生活的品質，是最重要的事；三、兩者皆是。

> 達文西論生死：「看哪！那種想要回到祖國或回歸本初混沌狀態的希望和渴求，好比飛蛾撲火，好比一個恆常懷抱渴望的人，總是引頸期盼每一季嶄新的春天和夏天……認為他所渴望的事物總是姍姍來遲；渾然不知他正在期待自己的毀滅。不過，這份渴望的精義，正是大自然的精神；大自然發現自己被囚禁在人體裡，恆常渴望回到它的本源。而我希望你明白，這份渴望，就本質而言，乃大自然所固有者。」

生與死　請設定你自己的練習。

冥想蒙娜麗沙

布藍利提到一位中國宋朝詩人的典故，謂世上最浪費也最擾人的三件事，一是目睹未受良好教育的年輕人，二是糟蹋好茶，三是偉大的藝術未受珍視。達文西的〈蒙娜麗沙〉如此家喻戶曉，卻很少人真正見到它。現在，與蒙娜一塊兒坐一會兒吧。讓你善於分析的頭腦安靜下來，專心認識她的精華，並注意你自己的反應。有機會拜訪巴黎時，在羅浮宮早上九點一開門，就直直走向蒙娜麗沙，趁人潮不多的時刻，拜見真正的〈蒙娜麗沙〉。

展露蒙娜麗沙式的微笑

試試看，具體表現出蒙娜麗沙的臉部表情，模擬她那舉世知名的微笑。留意自己的感覺。曾經試過這個練習的人，有如下反應：「我覺得我的頭腦同時在兩個地方。」「當我那樣微笑時，我覺得心中非常自由。」「它使我覺得自己像一位藝術鑑賞家。」「我立即轉化：每一件事物突然都變得完全不同。」

現在，回到你的好奇清單中最讓你焦慮的問題。不過，這一次當你思索這些問題時，要展現出蒙娜麗沙式的微笑。當你用蒙娜麗沙的眼光來看世界時，想法有沒有什麼改變？在筆記本記下你的觀察。

醞釀與直覺

偉大的音樂家宣稱，他們的藝術，在音符與音符之間最有生氣。雕刻大師則指出，他們作品四周的空間，正是它力量的秘密。同樣的，在你有意識的努力之間的空白，是創意生活與解決問題的關鍵。這些空間，醞釀出認知、想法和感覺。

達文西在創作〈最後的晚餐〉時，連日在鷹架上工作，從早到晚忙不停；然後，他會不說一聲就停下來休息。委託他作畫的修道院院長，滿心不高興。凡薩利曾記載：「這座教堂的院長殷殷懇求達文西早日完成，因爲他不懂，爲什麼達文西有時候會失神老半天。他寧願達文西像個花園裡揮鋤的勞動者，從不放下畫筆。」凡薩利說，這位院長向米蘭大公抱怨，於是大公向達文西質疑他的工作習慣，而達文西說服大公：「最偉大的天才，有時候做得少反而成就更多。」

很顯然，達文西沒有低估自己；但他對於自己才能的自豪，以及醞釀節奏的自信，也由謙卑與幽默加以制衡。凡薩利提到，達文西向大公解釋他還有兩張臉尚待完成：基督與猶大。基督的臉最後並沒有百分之百完成，達文西認爲這超過他能力範圍，「他不願意在塵世找一個模特兒，也不知自己的想像能否捕捉這個神聖化身的美麗和出塵的優雅。」至於猶大的臉，達文西向大公解釋，要找到一個模特兒來表現一個人「邪惡到背叛他的上主，世界的造物主」，將是一大挑戰，「然而，他還是會找一個模特兒來畫猶大，如果找不到模特兒，總可以用修道院院長的臉」。

你的老闆可能不會接受「最偉大的天才，有時候做得少反而成就更多」這種說法，但醞釀的藝術對於實現你的創造潛力確實至爲重要。幾乎所有人都有經驗，「把一個問題帶上床」，醒來時就得到解答。但如果你像達文西一樣，讓聚精會神的工作與休息輪番上陣，那麼醞釀所得的成效最大。如果沒有經過一段聚精會神的工作，就沒有什麼好醞釀的。

找出你的醞釀節奏，並學著信賴它們，是通往直覺與創造力的簡單秘訣。有時候，醞釀會產生洞察，或「啊哈！」的恍然大悟。不過，一般說來，無意識工作的結果都很微妙，容易被忽略。靈感的產生，有賴於平時即注意思想的細微之處，傾聽你害羞的內在聲音所發出的輕聲細語。

「眼裡有一層真人眼中常見的潤澤感，眼珠周圍是睫毛和紅色調，必是以極大的細心畫成。眉毛實在自然得不得了……鼻子帶著優美的粉紅色，鼻孔柔軟纖細，栩栩如生。嘴略張處，粉紅的嘴唇連上臉部肌膚，像真正的肌膚，不像顏料。凝視她喉嚨處的凹陷，看到脈搏輕輕跳動。」（凡薩利觀看〈蒙娜麗沙〉後的心得）

神經學家估計，一個人的無意識資料庫遠遠多過意識資料庫，比數是壓倒性的一千萬比一。這個資料庫，正是你創造潛力的來源。換句話說，局部的你比你整個人聰明。聰明人會時時向自己比較聰明的那部分求教。你，也能騰出空間，進行醞釀。

好整以暇獨處並放鬆

你在什麼地方會想出最好的點子？過去二十年來，我向成千上百的人提出這個問題。最常聽到的答案是：「躺在床上休息時」、「在大自然中散步時」、「一邊開車一邊聽音樂時」，以及「淋浴或泡澡時」。鮮少有人說是在工作時冒出最棒的點子。

當你在林中散步、躺在床上休息，或悠然享受淋浴——這些時候，會出現什麼？孤獨與放鬆。大多數的人，都在放鬆和獨處的時刻想出突破性的點子。

達文西儘管喜歡與別人交換意見，但是他知道，自己最富創意的看法是在獨處時出現的。他寫道：「畫家必須孤獨……當你獨處時，你完全是你自己；假如身邊有一個伴，你就只有一半是自己。」

花點時間獨處，培養包容力。每星期都該散散步，或靜靜獨坐，一週至少一、兩次。

給父母的建議

小孩子還沒有準備好應付生命深奧的弔詭。然而，他們倒是很喜歡謎語和推理小說。利用遊戲、拼圖和故事來培養包容力。例如，在小孩入睡前說同樣一個故事，但每一次都編出不同的結局。這除了能刺激你自己的想像力，也會鼓勵他們喜歡未知。

輕鬆一下

許多人一天到晚都以「左腦」的模式專心勤奮工作。有時候，我們太投入手邊工作了，反而失去自己看法。工作或唸書時，每個小時休息一下，可以增加樂趣和成效。現代心理學研究顯示，唸書或工作一小時之後，花十分鐘徹底休息，在這十分鐘之後，你對於剛才所研究的素材會比一小時結束時記得還要清楚。心理學家稱這個現象爲「回想效應」。達文西在繪畫論中建議：「你應該常常離開工作放鬆一下，因爲當你回來時你會更有判斷力。」請遵循大師的建議，在你繁忙的日程表中排進一些十分鐘的「頭腦休息」。聽一點爵士或古典音樂、做點創意塗鴉、來些冥想，或做一下伸展體操，這會讓人放鬆，有助於醞釀。除了每小時的休息外，務必享受每週一次的星期天「安息日」，每年安排一次眞正的休假。

信賴你的本能

多注意每一天的第六感和直覺。試著把它們記在筆記本裡，然後檢查你直覺的準確度多高。透過觀察每一天的直覺，你能使它們更準確。

想要培養一套準確又可信賴的

著有《情緒分子》一書的佩特博士，論及身體的想法：「你的腦，在分子層次上與身體其他部位緊密結合，由於其連結太密不可分，所以我們必須用『行動的腦』這個名詞，來貼切描述智力資訊從一個系統傳到另一系統的身心網路。」佩特又說：「你的身體內在每一秒鐘裡都產生大規模的資訊交換。假設每一個訊息系統都有一個特定的音符，一段主旋律，起起伏伏、漸大又漸小，連結又分開。」直覺，是一門傾聽的藝術，以內在之耳，聽出你「身體音樂」的節奏和旋律。

內在導引系統，需要聆聽你的身體。「我的本能告訴我，事情不是這樣」、「我打骨子裡知道」、「我從心窩可以感覺它」，以及「我打內心深處知道它千眞萬確」這一類的話語，都反映了直覺以身體爲中心的本質。

當你悠然獨處時，不管是在大自然中漫步、獨自開車，或躺在床上，都要往你骨頭裡仔細聽，檢查內心深處。嘗試下列簡單而小巧的練習，每天作一、兩次，探入直覺的幽微處：

深深吐氣呼氣幾次。

放鬆腹部。

開放接納。

工作中的包容力

美國管理協會在1980年代發表一項研究，研究結果顯示，成功的管理人有明顯的特質：「對於曖昧不明有高度的包容力，能憑直覺做決策」。在變化快速的今日，僅僅包容曖昧不明已經不夠了，還必須能夠擁抱並享受曖昧不明的狀況。

亞果教授 (Pr. Weston Agor) 在《直覺決策的邏輯》一書中，說明了他從地毯式的訪問中所獲得的發現，資深主管一致指出，沒有傾聽自己的直覺，是造成他們最大失策的主因。即將邁向二十一世紀，排山倒海的資訊極可能使我們滅頂。因此，直覺的重要性無以復加。

底線：擁抱曖昧，相信直覺。

全腦思考

在科學與藝術、邏輯與
想像之間平衡發展

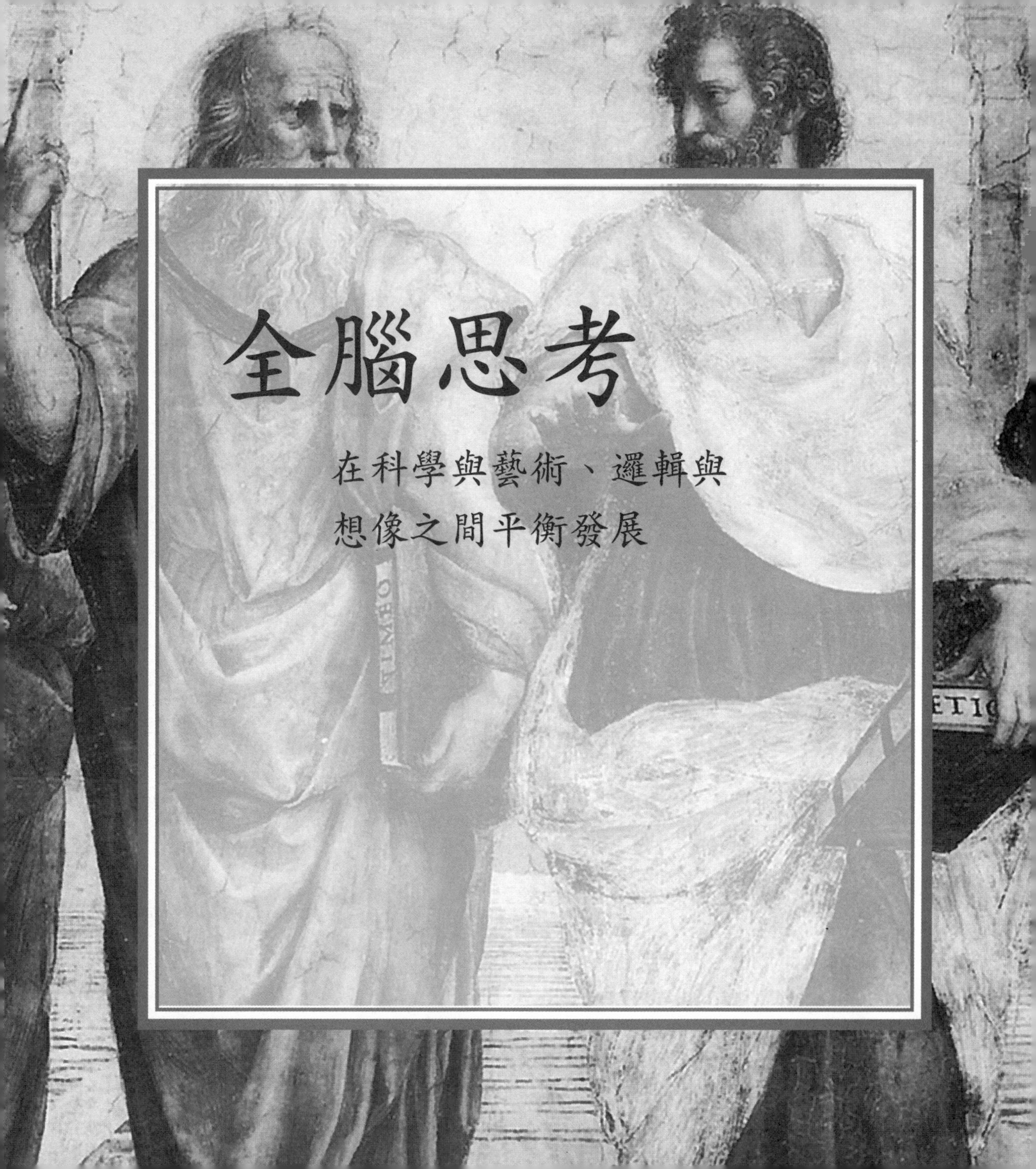

你知道關於大腦皮質左右兩半球的研究嗎？如果你知道，那麼你曉得你大腦中佔優勢的是哪個部分嗎？換個方式來問：你是比較偏向藝術家性格、出於直覺的右半球思考者，還是比較習於左半球的按部就班的邏輯？

「左腦型」和「右腦型」這兩個名詞，透過科學家史佩瑞（Roger Sperry）獲得一九八二年諾貝爾獎的研究，成爲琅琅上口的字眼。史佩瑞發現，大體而言，大腦皮質的左半邊處理邏輯、分析的思考，而右半邊則處理關於想像的、概略式的思考。

雖然教育當局常在口頭稱讚「均衡發展的文藝復興人」這個觀念，實際上，我們普遍罹患「半邊聰明」的病態思考傾向。套用史佩瑞博士的話來說：「我們的教育體系，以及一般的科學，常常忽略非語言形式的智力。這導致現代社會歧視大腦的右半邊。」結果造成大腦左半邊發達的人在學校功課很好，卻無法開發他們的創造潛力；而右腦發達的人，常常對於自己的思考方法感到羞愧，也常被錯貼上「學習殘障」的標籤。

追求均衡發展的人，終究是要研究達文西的。而達文西的魅力之所以使人著迷，泰半因爲他是最極致的「全腦」思考者。

在一篇討論達文西的藝術與科學兩者關連的文章中，藝術史家克拉克開宗明義，強調這兩個學科的彼此依賴：

> 人們常把達文西的科學家層面和畫家層面分開研究。由於我們很難跟上達文西在機械與科學方面的探索，遂使得這個二分法成為謹慎的作法。然而，這並不盡如人意，因為到頭來，藝術史的研

究若不涉及科學史，便無法獲得充分的了解。藝術和科學兩方面的研究，都是在研究人類用來肯定心靈結構的象徵，而這些象徵，不管是圖像或數學，是寓言或公式，都反映同樣的改變。

科學史家薩坦(George Sarton)從不同的觀點出發，但獲致相似的結論：

> 既然知識的成長是進步的核心，那麼科學史就應該成為通史的核心。然而，生命主要的問題卻不能僅由科學家解決，也不能只交給藝術家及人文學者；他們要通力合作才行。科學雖然不可或缺，卻並不能獨挑大樑。我們渴望美，但若缺乏慈悲，其他一切均屬枉然。……(達文西)的出類拔萃，在於他以自身說明，美感的追求和真理的追求並非勢不兩立。

所以，達文西到底是一位研究藝術的科學家，還是一位研究科學的藝術家？很顯然的，他兩者皆是。例如，他對於石頭、植物、飛行、流水和人體解剖學的科學研究，都表現成美麗又栩栩如生的藝術作品，而非僅是枯燥的技術性素描。而同時，他的繪畫及雕刻草圖則鉅細靡遺，在分析上不遺餘力，在數學上準確無比。

誠如《人類的攀升》*(The Ascent of Man)*一書作者布朗諾斯基(Jacob Bronowski)所言：

> (達文西)把藝術家的視野帶進科學。他知道，科學和藝術一樣，必須在細節中找到大自然的設計……他給的是科學最缺乏的東

西：一種重視大自然細節的藝術感。在他之前的科學沒有這種認知，以是無人關心——或看不出其重要性——兩個不同質量的物體墜落的速度多快，行星的軌道到底是圓形還是橢圓形。

對於達文西來說，藝術和科學是不可二分的。他在〈繪畫論〉中告誡後輩：「凡是迷上了藝術的人，如果事先沒有勤快研究藝術的科學面，就好比水手乘著一艘沒有舵或羅盤的船出海，根本無法確定能否抵達預定的港口。」

例如，達文西強調，藝術家表達人體美感的能力，來自於深刻的解剖學研究。一個想成爲藝術家的人，如果缺乏對骨骼結構和肌肉關連的賞析，極可能畫出「呆若木雞、毫不優雅的裸女，彷彿看到的是一堆堅果，而非一具人體；是一串紅皮小蘿蔔，而非肌肉」。他還說過：「對於你想描繪的一切，務必清楚其結構爲何。」

然而克拉克極力主張，達文西的科學是從藝術而來的：「我們常說，達文西之所以畫得那麼

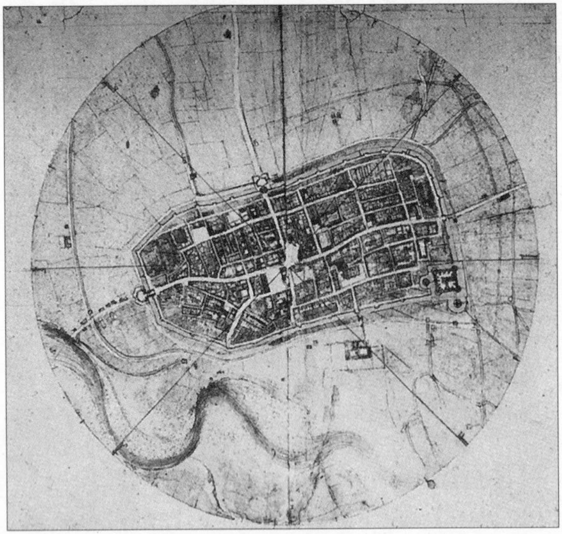

達文西所做的伊摩拉 (Imola) 地圖。達文西能同時看出整體圖像及局部細節，這使他能繪製出準確無比的地圖。

藝術家在文藝復興時代的地位

在達文西出生的年頭，藝術家是藉藉無名的藝匠，社會地位等同於勞工。藝術家的工作場所不像現代的工作室，卻像工廠，並且按小時計酬。他們大部分的作品都是集體創作，沒有署名。在文藝復興之前的歐洲，所有的創造力都歸屬於神聖範疇；誰要是膽敢把人類看成創造者，簡直是大逆不道。

而在達文西所生活的時期，藝術家的角色發生了戲劇性的轉變。藝術家開始依個人興趣創作，而非總是由贊助者指派。他們開始在自己的畫作上簽名，也開始寫自傳，或由別人為他們寫傳。拉斐爾、提香和米開朗基羅，在世時就是超級巨星，生活富裕，受人敬仰。

為這驚人轉變種下因子的人，是達文西的前輩，亞伯第。在亞伯第的時代，算術、幾何學、解剖學、音樂、文法、邏輯和修辭學，在才智菁英心目中，乃是高貴的學科，知識的根基。繪畫不包括在內，但亞伯第察覺到，植基於數學的「比例」與「透視」，可以為繪畫及其他高貴學科提供共同的基礎。而達文西掌握了這個觀點，並把它發揚光大。達文西認為，繪畫是一門科學，這使得他心愛的「學習觀看」練習，躍為通識學科之首。達文西力主「直接走向自然」，追求原創，也就是當一個「發明家」，這態度不但促成藝術家角色的轉變，更扭轉了天才一詞的概念。

好，是因爲他通曉事物；但我們更應該說，正因爲他畫得那麼好，所以他通曉事物。」

達文西鼓吹一種縝密的態度（他的座右銘之一是「頑強的縝密」），主張要注意細節，講求邏輯、數學，以及細密的實際分析。除以之外，他也驅策學生以前所未有的方法喚醒想像力。他教給學生一招「嶄新而冒險的觀念，看來也許微不足道，甚至引人發噱，但對於激勵發明的精神極有價値」，督促學生凝視石頭、煙霧、餘燼、雲朵和泥土，在這些平淡不足奇的事物中，培養出看到「神聖風景的翻版……及無限事物」的能力。他認爲，這種眼光「有如鐘響，在每一聲鏗鏘中，你都能發現一個名字和一則信息」。

這種指引不僅是給藝術家想像力的刺激，更是人類思想的一大演進。達文西開啓了一個傳統，正是當代「腦力激盪」的源頭。在達文西之前，根本沒有人把「創意思考」當成一項心智訓練。

「研究藝術中的科學面，以及科學之為一門藝術的道理。」

(達文西語)

全腦思考與你

本書列出的所有原則，都有助於平衡大腦的左右兩邊，並喚醒你潛在的達文西力量。此外，你可以使用一個簡單卻威力十足的方法，在日常思考、計畫和解決問題時，讓藝術與科學同力增效，追求大腦左右的平衡。這個方法叫做「心智圖思考法」(mind mapping)。

心智圖思考法，是一種用來激發點子並組織想法的全腦思考方法，由英國研究者布贊首創，主要受到達文西做筆記的方法所啓發。你可以使用

工作中的藝術與科學

全腦有限公司 (Whole Brain Corporation) 的創始人赫曼(Ned Hermann)，開發出一套能檢定大腦中哪半邊佔優勢的測驗。在這家公司所辦的研習會上，有個出名的做法，赫曼會找出那些被測定為「極端左腦型」或「極端右腦型」的人，指派他們一項作業，要在兩個小時內完成。極端左腦型的那一組都會準時回來，完成一份打好字的報告，不放過一絲小節。他們的報告雖然寫得有條有理，內容卻極度無趣。極端右腦型的那一組，則對這項作業的意義展開一場哲學思辯。他們回來的時間不一，把想法草草寫在便紙條，散漫無章，通常也派不上用場。

接著，把兩組合併，由一名協助者引導他們進行另一項作業。結果他們準時回來，交出一份平衡、條理分明又有創意的成品。從此例所得的教訓：一個頭腦均衡發展的小組所提出的創意，才有效率。

然而，每個人常常會有偏向某半側的傾向。財務部門左腦派的人聚在咖啡機旁邊，看著那些右腦派的行銷人員，心想：「那些古里怪氣的人，一天到晚做白日夢。他們不像我們這麼懂得掌握事物的底線。」在這同時，右腦派在冷水器旁邊，盯著左腦型的人想著：「那些錙銖必較的人腦袋何其狹小，他們不像我們這樣能看到事物的全貌。」

個人也常會在心裡墮入同樣的陷阱。左腦人會想：「很抱歉，我是左腦人。我實在不可能產生創意或想像力。」右腦人也會犯下同樣被制約的錯誤：「好吧，我是右腦人，開會時我就是不可能準時。」

自1978年以來，我見過幾千名各層級的經理，有些屬於分析力強、嚴肅又徹底的計畫者：有些則是充滿直覺、好玩又不必打草稿的即興型人物。這當中最棒的一種，莫過於那些能在分析與直覺、嚴肅與好玩、計畫與即興、藝術與科學之間取得平衡的人。

心智圖來擬定個人目標、日常計畫，或解決人際問題。它對於工作、親子關係或任何目標都有助益。然而，心智圖思考法最驚人的運用，是透過規律的練習，訓練自己擁有更平衡的思考。

現在，要開始學習製作心智圖了。一開始，我們先想想多數人產生點子及組織觀念的方法：擬大綱。傳統的大綱，始於找出一個「第一點」。你有沒有過這樣的經驗，花好多時間苦苦等待第一點出現？也許，你在二十分鐘之後終於想出第一點，然後一路進展到第三點之四，卻發覺，這第三點之四應該是第二點之二。於是你把第三點之四刪掉，畫一個箭頭，把它連到第二點。現在你的大綱有點亂，而大綱不是應該「整整齊齊」嗎？

你深感挫折，開始在紙上塗鴉。你被壓抑的「右半球」想要表達自己，但塗鴉使你的大綱更雜亂，你因爲做白日夢而產生罪惡感。這場腦內混戰令你煩亂，不勝其擾，乾脆把紙一揉，重新開始。

想要以條理分明的方式呈現觀點時，大綱是很好用的工具，但它只有在你思考完畢才有用處。如果你想藉由擬大綱來產生點子，會發現此法會減慢你的速度，也會扼殺思想的

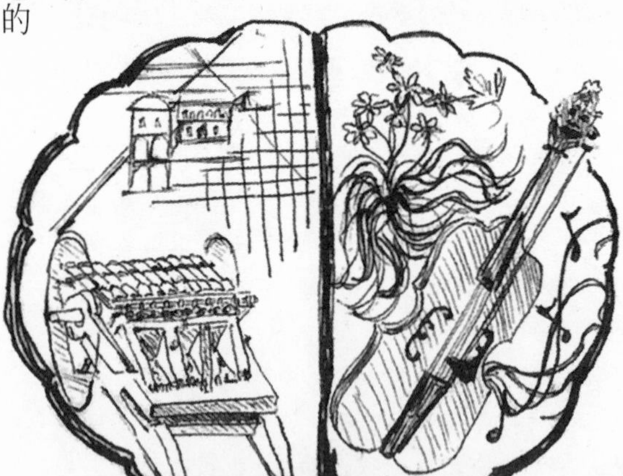
大腦皮質左右兩半球的比喻

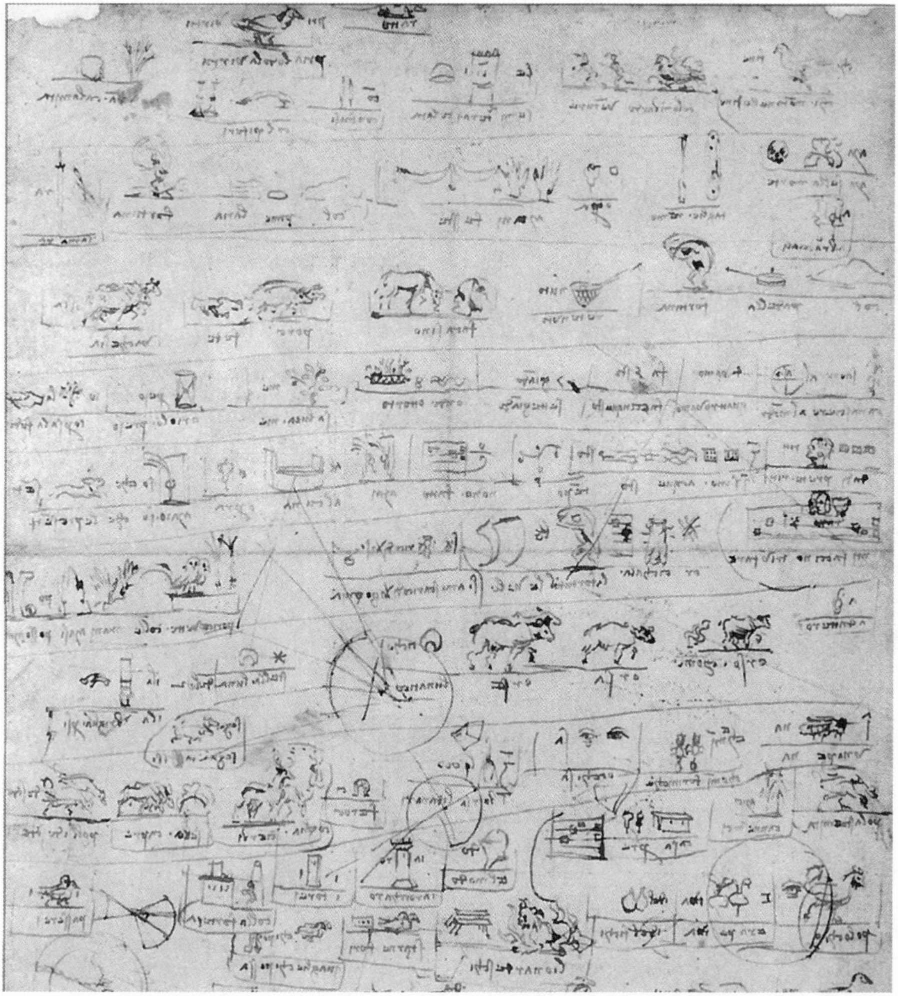

達文西筆記本中類似這樣的頁面，促進了現代心智圖思考法的誕生。

自由流動。你都還沒有產生點子，卻要你把點子組織起來，這簡直不合邏輯。

此外，這種擬大綱的方式和其他線性思考的做筆記系統，排除了大腦對於色彩、面向、綜合、節奏和影像的能力。擬大綱這種方式，只有一個顏色或形狀，保證是件單調無趣的事兒。擬大綱只用到你一半的頭腦，而這可是天大的罪過。

用心智圖來思考，能使你不致因過早進行組織而受荼毒，因爲過早組織會抑制點子的產生。心智圖思考法在鼓勵頭腦盡情表達的同時，也會平衡構想與組織，因此能充分釋放你的心靈力量。

想一想你新近讀過的書或是剛剛上過的研討課。想像你必須爲那本書或那堂課寫一份報告。開始回想那些資訊，同時觀察你的頭腦如何運作。

你覺得，你的頭腦會重建一整段的話語，或是你會在腦海中列出有條有理的大綱？恐怕不會唷。極可能出現的情況是，你的腦海中閃過印象、關鍵字和影像，一個接著一個。心智圖思考法，就是在白紙上承接這種自然的思考過程。

達文西大力敦促藝術家和科學家，在追求知識與對事物的了解時，務必「直接師法自然」。如果你仔細想一想，一棵樹或一株植物是以什麼方式構造而成，例如虎眼萬年青（Star-of-Bethlehem），你會發現，它是一張生命的網，從樹幹或莖往四面八方伸展。如果從直昇機上俯瞰一座大城市，你會發現，一座城市是由相互連結的中心和道路形成不規則的結構，主要的大道連上旁支的街巷。我們的地下水系統、全球通訊系統和太陽系，也有類似的網絡。通訊的結構，在本質上是非線性的，是自我組織的，透過網絡和系統運作。

所有自然系統中，最驚人的系統也許是你腦殼裡的一切。我們頭腦運作的基本結構單位叫神經元，數十億的神經元從中心（叫做核）分叉出去。每一個分支或樹枝狀突起（dendrite），都覆滿了小小的結節，稱爲「樹枝狀脊椎」。當我們思考時，電子化學的「資訊」會跳過脊椎之間的小小缺口。這個接合稱爲一個神經鍵（synapse）。我們的思考，是神經鍵模式所組成的巨大網絡中的一個功能。心智圖思考法，就是以圖形顯示這種頭腦的自然模式。

因此，我們對於歷史上許多傑出頭腦的筆記方式應該不會大驚小怪。例如達爾文、米開朗基羅、馬克吐溫，當然還有達文西，都使用分支、有機的結構，並佐以大量的速寫、充滿創意的塗鴉及關鍵字。

你是左腦當道，還是右腦當家？在你準備學習以心智圖達到全腦思考之前，先花幾分鐘反省一下你的傾向，看看哪一些陳述適合你？

哪些句子最能描述你的情況？下頁的評量表分成左右兩類，左邊的敘述是左腦人的典型描述，右邊的句子則描述右腦人的特徵。當然，多數人都比這個簡單的模型要複雜很多。然而，左腦和右腦的比喻或概分，對於思考平衡還是很有幫助。

不管你傾向於使用腦子的哪半邊，若想要實現你的全副潛能，關鍵都在於找出平衡。

全腦思考：自我評量表

□我喜歡細節。

□我幾乎都是準時的。

□我很擅長數學。

□我仰賴邏輯。

□我寫字很工整。

□朋友說，我口才很好。

□分析是我的長處。

□我很有條有理，也很有規律。

□我喜歡表列式的東西。

□我讀書時從第一頁循序讀起。

□我極富想像力。

□我常會忘了時間。

□我很擅長腦力激盪。

□我仰賴直覺。

□在學校我的幾何比算術好。

□我常常無法清楚表達自己的點子。

□我比較喜歡綜觀全局，把細節留給別人。

□我的言行常會出人意表。

□我喜歡塗鴉。

□我讀書時常常跳頁，沒有一定順序。

應用和練習

心智圖思考法的規則

達文西在〈繪畫論〉的尾聲寫道：「這些規則的用意，都是要幫助你獲得自由而正確的判斷：因爲，良好的判斷來自清楚的了解；清楚的了解，來自良好規則所訓練的理智；良好的規則，則是紮實經驗的子嗣；而經驗爲一切科學與藝術之母。」

心智圖思考法有若干規則，目的是爲了「幫助你獲得自由而良好的判斷」。它們是「健全經驗的子嗣」，在過去三十年來受到廣泛的測試，並且一次次精益求精。

剛開始練習做心靈製圖時，你只需要一個主題、幾隻彩色筆，和一大張紙。請遵循以下的規則：

1. 在紙張的中央，畫出一個象徵式的符號或一幅圖（代表你的主題），以此展開心智圖的繪製。由中央開始，能使你的頭腦做三百六十度的聯想。圖畫和符號，遠比文字更容易記住，也能提高以創意來思考主題的能力。

2. 寫出關鍵詞。

   關鍵詞是富含資訊的「礦石」，富含回憶與創意的聯想。

3. 由中心圖像往外拉線，把關鍵詞連起來。

以線條（分支）把文字連結起來，這樣會清楚顯示，關鍵詞如何與關鍵詞連結。

4. 工整寫下關鍵詞。

工整的字比較容易閱讀，也容易記住。

5. 每一行寫一個關鍵詞。

這可以讓你盡情探索每一個關鍵詞的聯想。一行寫一個關鍵詞，也能訓練你擇定最恰當的關鍵詞，提高你思想的精準度，並把雜亂程度減到最低。

6. 把關鍵詞工整寫在線上，並使每一個詞的長度和底下的線一樣長。

這能使聯想變得一清二楚，並鼓勵你節省空間。

7. 利用顏色、圖形、層次和符號，盡量聯想，找出重點。標出重點，並點明圖中各分支之間的關連。

例如，你可以用不同的顏色標出優先順序，以黃色標出最主要的重點，用藍色標出次要重點，以此類推。

盡可能使用圖形和意象，顏色最好鮮明，這些都能刺激你的創意聯想，並大幅提升你的記憶。

製作你自己的心智圖

試過心智圖思考法後，會漸漸發現它的優點。此法能使你迅速起步，並在短時間內產生許多點子。你會發現，思考、工作和解決問題，變得有趣了。所有的大綱看起來都大同小異，但每一份心智圖都是獨一無二的。而心智圖能培養出你獨特的自我表達，引導你發現自己獨特的個性，這是心智圖最大的好處。經常練習心智圖思考法，可以讓你成爲一個「發明家」。下列這項簡單的心智圖思考練習能幫助你開始：

1. 準備一大張白紙，六支以上的彩色筆。你可以使用螢光筆，以增加顏色。當然，不得已時，一枝筆或鉛筆再加一小張白紙也就足夠。你當然可以在紙夾火柴的背面、手掌心，或自黏標籤上做，不過，最好還是用一大張紙。紙張愈大，你愈能自由表達聯想。把紙張橫放在面前。橫放，會更容易把所有的關鍵字擺得端端正正，也更容易閱讀。

2. 假設，這張心智圖的主題是「**文藝復興**」。先在紙張中央畫一個代表的圖案，由此開始。盡可能畫得生動，使用多種顏色。盡情揮灑，別擔心非要畫得準確不可。

3. 現在，由中央圖案往外放射，在線上工整寫出關鍵詞或意象。(記得，要端正寫在線上，一行寫一個關鍵詞或意象，使線條彼此連結。)以關鍵詞產生點子並不難。例如，當你想到文藝復興時，一個關鍵

詞可能是藝術，這可能會引發其他關鍵詞的聯想，例如繪畫、雕塑、建築。有一個關鍵分支可能是發明，它會引出印刷、時鐘、鉛筆等聯想。其他的主要分支可能包括人、政治、宗教等等。

如果你腦筋打結，就從心智圖中任選一個關鍵詞，寫下你對那個詞的第一個聯想，即使它看來很荒謬或與主題不相干也沒關係。保持你的聯想自由流動，不是字字都非要「正確」不可。

4. 當你覺得，已經從自由聯想中產生了足夠的素材時，先停下來，看看你的成果：你所有的點子都散布在一張紙上。當你檢查你的心智圖時，會看出一些能幫你組織並整合點子的關係。

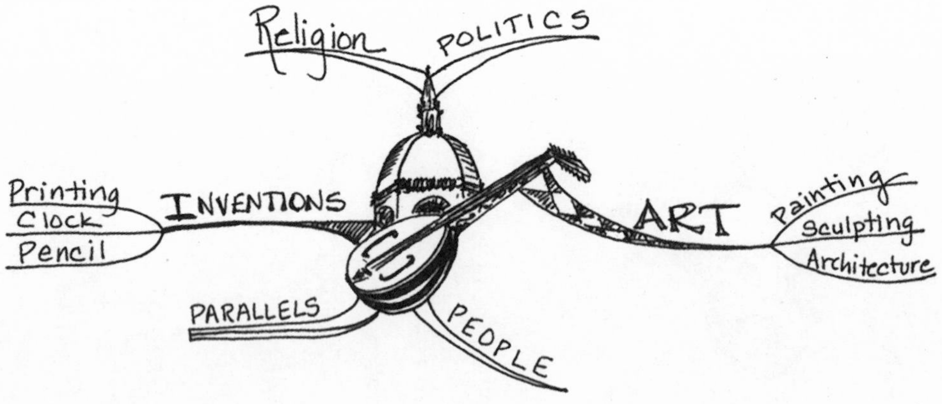

找出地圖上重複出現的字。
它們常會提示重要的主題。

5. 用箭頭、符碼和顏色，把心智圖上面相關的部分連起來。

接下來，消除與主題看似無關的成分。把心智圖精簡爲全部是你需要的點子。

如果有必要，把點子依序排列。這可以用數字表示，或以順時針方向重畫一張。

你如何得知，你的心智圖已經完成？理論上，一張心智圖是永遠不會結束的。就如達文西強調的：「一切都與其他一切相關。」如果你有時間、精力、喜好、足夠的彩色筆和夠大張的白紙，你可以繼續連結你所有的知識，乃至全人類的知識。當然，如果你正在準備一次演講或爲一項考試苦讀，你可能沒

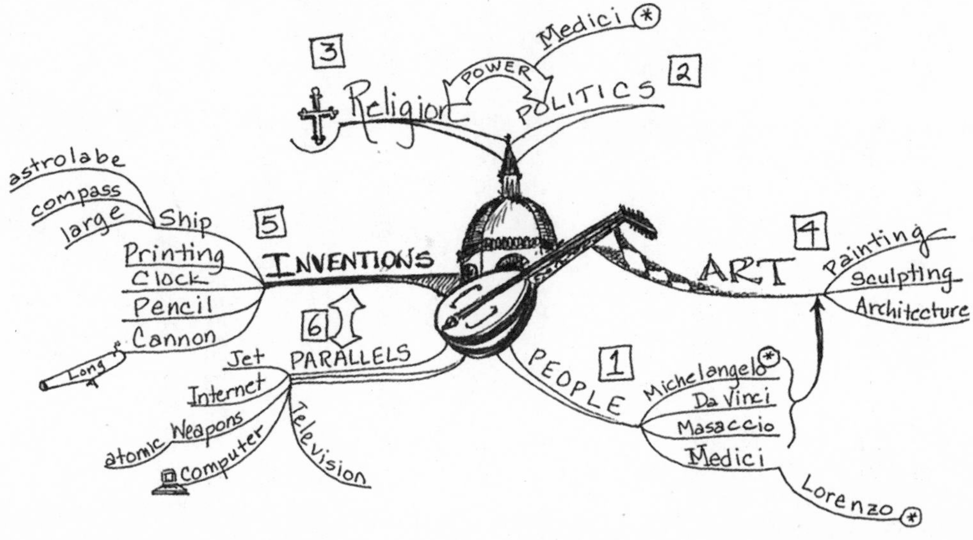

有時間連結人類的一切知識。所以，你的心智圖何時算完成，對此，簡單的答案是：當你產生的資訊符合你任務的目標，就算大功告成。

練習心智圖的技巧

心智圖對於把複雜的任務簡化，例如策略計畫、準備報告、會議管理、準備考試和系統分析等，的確是一項無價的工具，但你最開始練習的幾張心智圖，最好還是選擇輕鬆的主題。從下列主題中任選一項，自己練習。大約花二十分鐘完成第一張心智圖。

1. 以心智圖思考法，計畫你下一個休假日。先畫出一個簡單的圖案，代表自由的一天（例如，一個微笑的太陽，或一頁日曆）。以工整的字樣，寫出關鍵詞，代表你想要在下一個休假日從事的活動，並畫出代表的圖案。記得要把關鍵詞和圖案寫在由中央放射出的線條上面。

2. 以心智圖思考法，想像你夢中的假期。利用心智圖探索你對夢中假期的愉快幻想。先在紙中央畫出你心目中樂園的象徵（例如，海浪、白雪皚皚的高山，艾菲爾鐵塔），然後由中心往外擴散，寫出代表理想假期的關鍵詞或圖案。

3. 以心智圖思考法，爲一位朋友設計一個完美的夜晚。先在中央畫出代表你朋友的圖案。然後，利用關鍵詞或圖案，把你希望朋友幸福快樂的所有想法往四面八方發展。想出各種可能性之後，再回頭使它們各就各位。

有幾個竅門，能使你的心智圖整齊、易懂又有條理。

1) 把核心圖案畫在紙張中央，不要畫大。

2) 必要時，使用折角線和曲線，使關鍵詞保持直立，並容易閱讀。

3) 一行只寫一個詞，務必工整。

4) 開始畫線條時，把線頭描粗一點，端正寫下關鍵詞，至少半公分高，使它們易於閱讀。

5) 你可以把一些字描粗一點，做為強調。

讓每個詞與下方的線條一樣長。這樣能節省空間，也使你更容易看出其中的關連。

6) 盡可能利用大張的白紙。這能避免擁擠，也能鼓勵你大膽思考。

7) 如果第一份初稿看起來雜亂無章，不要擔心，可以製作第二或第三份草稿，進一步釐清。

回頭檢視你那張關於休假日、夢中假期或完美之夜的圖。檢查一下，看看你是否：

創造出鮮明多彩的意象？

一行只使用一個詞？

工整寫出關鍵詞？

使線條互相關連？

如果你違背這些原則，請以前述方法重畫一張。

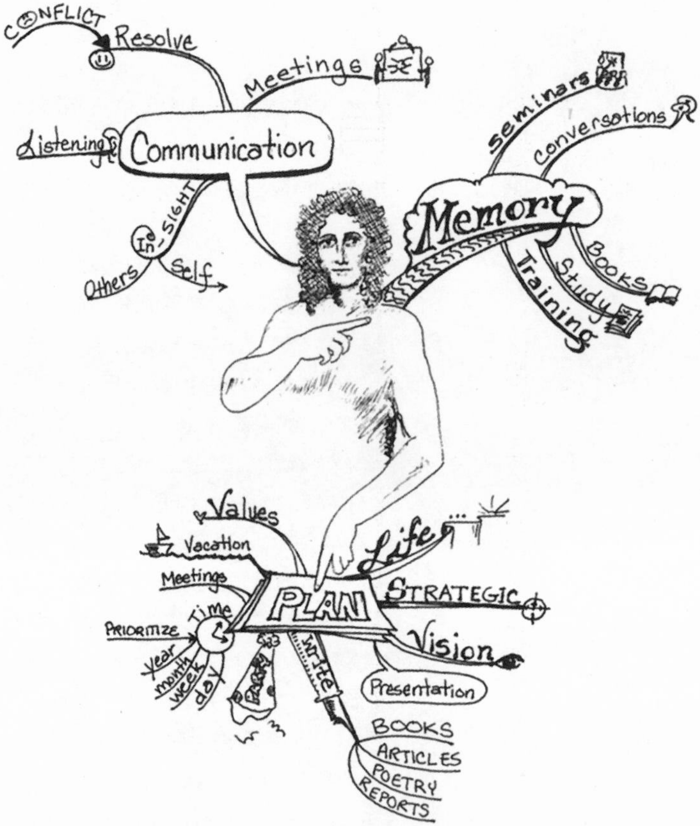

就如你所見，頭腦地圖有很多種用法。本章最後兩個練習，會引導你以特別受到達文西啓發的方式來使用這種思考工具。

製作一張關於心靈製圖法的圖

你已經做過暖身運動了，現在，嘗試把一切可能運用心智圖的方法，製成一張圖。先在紙中央畫出心目中代表心智圖的圖案。然後往四面八方擴散，把關鍵字詞或圖象寫在相連的線條上。至少寫出二十個把心智圖運用在生活及工作中的可能性，然後強調你覺得最有價值的運用法。然後，檢視前一頁以圖表示出來的運用可能，找出心智圖最常見的用途。

製作一份關於記憶的心靈圖

達文西非凡的學習與創造力，來自於他對記憶的培養，也就是他所謂的「用心默記」。達文西從許多角度仔細觀察他的主題，然後做一幅素描。當他在深夜或清晨躺在床上時，會在腦海中回顧這幅圖，讓它活起來。然後，他把這個頭腦意象與他最好的素描並比相較，直到他能在腦海中掌握最完美的意象。

對於默記學習，心智圖是一項非常有力的工具。嘗試下列以達文西方法爲基礎的練習，把某樣事物嵌入記憶中：

★想出一件你要記住的事情，也許是你特別喜愛的一本書內容，你準備做的報告，或是爲準備學校期終考所要研讀的所有教材。

★爲你的主題作一份全面的心智圖，以鮮明的意象來強調最主要的重點。根據素材的份量和複雜度，也許需要幾份草圖來組織、整合及清晰表達。

★當你完成你的「心智總圖」後，把它擺在一邊。拿出一張白紙，不要參考先前的成果，而憑著記憶嘗試重新創造你的總圖。重複做這項練習，直到你可以鉅細靡遺重新創造原稿。

★當你躺在床上休息時，在腦海中描繪你的總圖。練習將之視覺化，直到你的頭腦意象吻合你的總圖。

★現在，憑著你對素材滴水不漏的記憶，去做專題報告或參加考試吧。

製作一張關於創意的心靈圖

心智圖思考法是喚醒創造力，以及——套用達文西的話——「刺激發明精神」的絕佳工具。擬出一個你想探索的觀念，或是一個需要新鮮看法的問題或挑戰。準備一大張白紙，在中央畫出一個代表主題的抽象圖案。現在，像達文西對於「某些牆上有濕痕，石頭上顏色不一」，就可以開始自由聯想一樣，你也對著你的抽象圖案自由聯想，在地圖的分支上記下聯想結果。如果你任大腦自由揮灑，便可能「看出……無限事物，而能把它們簡化成完整及正確的形式」。

如果你的點子顯得古怪，就把它放進你的心智圖，繼續做。荒謬與不尋常的聯想，常會帶來創意性的突破。記住，即使古往今來最偉大的天才也曾經顧慮，他的「嶄新及冒險的觀念……看來也許微不足道，甚至引人發噱」。但他並沒有就此打住。你也不應該停下來。

給父母的建議

我好多位家裡有兩個以上孩子的客戶和朋友都說，他們的孩子有不同的頭腦「風格」，作父母的如果不小心，就會把屬於自己模式的偏見傳給孩子。一位「左腦當道」的朋友說：「你曉得嗎，我好笨。我有兩個孩子，其中一個和我一樣，非常擅長數學和計算，很有紀律又能集中。另一個孩子卻截然不同，他好愛夢想，非常具有藝術天分，卻散漫無章。昨天晚上我突然發覺，我一直比較歧視那個右腦發達的孩子。如果我對他更開放一些，鼓勵他和兄弟及我分享他看事情的方法，我們大家都會好過一點。」

我們在工作場所建立了一支「頭腦均衡發展的團隊」，在家庭也應該這樣做。許多父母親在不知不覺中把自己的大腦偏見傳給孩子。支持你的孩子同時開發藝術與科學的技巧。如果你的孩子比較喜歡右腦思考法，就搬演過去事件的場景來對付歷史課程。對於數學，則用鮮豔的顏色寫出定理和等式。製作一份充滿彩色記號和圖案的日曆，幫助你的孩子準時。如果孩子傾向左腦思考，就強調藝術、戲劇和音樂的欣賞，以幫助孩子左右平衡。不管你的孩子是由哪半邊主宰，如果你鼓勵孩子使用心靈製圖法，孩子會變得更平衡。特別要注重把學校作業製作成記憶的心靈製圖，以此培養孩子「默記」的能力。

★等到你產生足夠的聯想，就休息一下，以便醞釀。

★回到你的心智圖，產生另一波聯想。

★再休息一下後，檢視聯想的整體圖像，尋找關連，以及呼之欲出的主題。

★接下來，「把它們簡化成完整及正確的形式」。換句話說，精簡你的圖，以表達你最中肯的見解，重新安排分支的次序，以便反映你想法的新結構。

一位來自南非索威托的十二歲男孩，運用心智圖「默記」之後，寫道：「以前……我並不覺得自己很聰明。現在我知道，我的頭腦很棒。學校的課業變得容易多了！」一位日本電腦公司的經理，用心智圖思考法爲一項策略計畫進行發想，後來表示：「非常謝謝你，因爲你終於喚醒了我的頭腦。」一位在《財星》五百大企業之一任職的化學工程師，利用這個手法創造了一項新的專利發明；英國的桂冠詩人以此法醞釀新的詩作。你也可以用它來強化記憶，平衡頭腦，並且「刺激你的發明精神」。

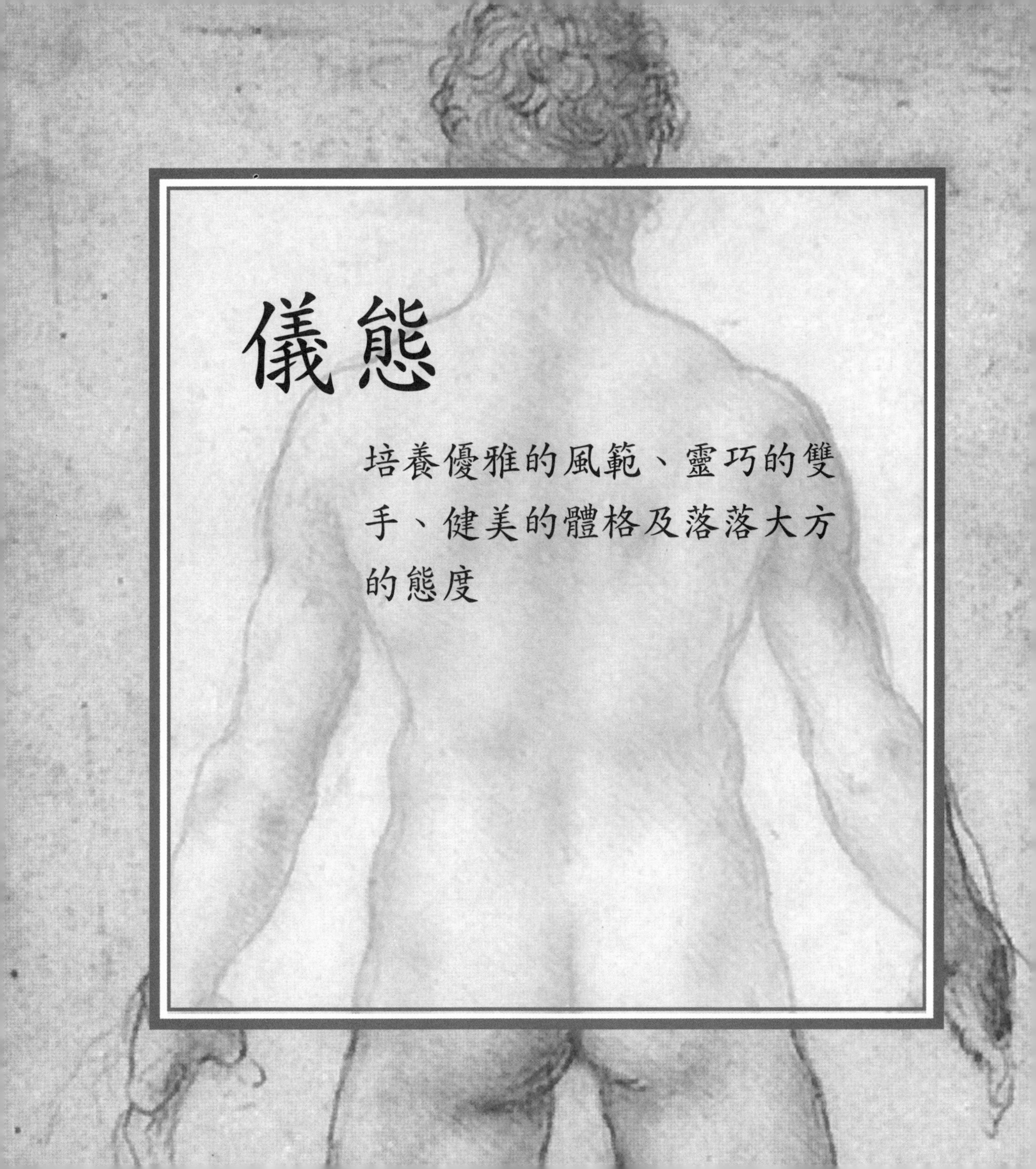

儀態

培養優雅的風範、靈巧的雙手、健美的體格及落落大方的態度在你印象中，天才的軀體是什麼德性？你是否像我一樣，從小到大，對於所謂的天才懷有刻板印象，以爲凡是天才者，都骨瘦如柴，是個四眼田雞的書呆子？令人吃驚的是，有多少人把高智商與笨拙的身體聯想在一塊兒。其實，歷史上的偉大天才，除了少數例外，大部分都擁有過人的體力和才能，其中又以達文西爲最。

達文西非凡的肢體天賦，與他的智性和藝術天才相得益彰。凡薩利稱讚他有著「出眾的體態美……一舉一動都優雅無比」。在佛羅倫斯的市民眼中，達文西以大方、優雅和運動嗜好著稱。他的馬術非常高超，他的力道更具傳奇性。目擊者描述，達文西可以一把捉住狂奔馬匹的韁繩，迫使它們停下來；而且徒手就可以把馬蹄鐵和敲門環彎曲！凡薩利有此記載：「他絕佳的體力可以遏止任何暴力迸發；他單憑右手就可以把一個敲門鐵環或馬蹄鐵折彎，彷彿它們是鉛做的。……他驚人的力量又與靈巧結合。」

若干學者曾指出，達文西對解剖學的熱愛，反映出他自己的體格出眾。《解剖學家達文西》一書的作者齊爾博士 (Kenneth Keele)，稱達文西爲「一個獨特的基因突變」，說他「對於人體解剖學的看法，深受自己非凡的身體特性所影響」。舉凡走路、騎馬、游泳和擊劍，都是達文西平日喜歡的運動。

達文西在解剖學的筆記本上推論，動脈硬化會加速老化，而動脈硬化是缺乏運動所致。達文西平常茹素，廚藝精湛，他相信，審慎的飲食習慣，是健康和幸福的關鍵。他也均衡使用軀體的左右兩邊，不論繪畫、素描或寫字都是兩手一起來。因此，身

「老人的死因若非高燒，就是由靜脈所致……血管壁很厚很厚，會封住血管，使血液無法流通。」(達文西語)

心兩面都靈巧。達文西相信，每一個人都應該爲自己的健康和幸福負責。他體認到，態度和情緒對於生理機能有所影響，這預告了當代心理性神經病免疫學（psychoneuroimmunology）的出現，並忠告人們不要仰賴醫生和藥物。達文西的醫藥哲學是整體論，視疾病爲「元素的失調滲入身體中」，而所謂治療，則是「把不協調的元素一一復原」。

達文西說：「學習維持健康！」並提出下列明確的建議：

若要保持健康，以下是聰明的做法：
謹防憤怒，避免悲痛的心情。
讓頭腦休息，保持心情愉悅。
夜晚要保暖。
適度運動。
避免荒唐無度，注意飲食。
想吃時才吃，晚餐吃得清淡。
吃飽飯從餐桌站起來時，保持身體挺直。
不要使腹部朝上，或頭朝下。
喝酒時摻一點水，小口啜飲，
不要在兩餐之間或空腹時飲酒。
吃單純的食物，素食是好方法。
細嚼慢嚥。
定時如廁！

「他長得好看，體態又棒極了，可說是一個完美人類的模範。」(歌德評論達文西)

儀態與你

你個人如何培養身體健康，發展身心的協調？在你眼中，你自己的身體是什麼模樣？你在判定自己的身體應該要是什麼樣子時，受到多少外來因素影響，例如雜誌文章、流行服飾業、電視影像，或別人的意見？不管你天賦的優點或缺點如何，你都可以藉由全面的儀態訓練來大幅改善生活品質。先做左邊的自我評量表。

儀態：自我評量表

□我擅長有氧運動。

□我愈來愈強壯。

□我的彈性日益改善。

□我知道身體何時緊繃，何時放鬆。

□我通曉飲食法和營養。

□朋友說我舉止優雅。

□我左右手的靈活程度愈來愈接近。

□我可以察覺身體狀態如何影響我的態度。

□我可以察覺態度如何影響我的身體狀態。

□我深諳實用的解剖學。

□我的肢體動作非常協調。

□我喜歡活動。

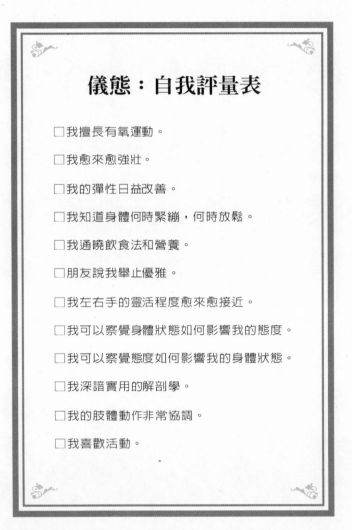

應用和練習

發展一套健身計畫

達文西的一生，體現了古代的古典理想：一個擁有健全頭腦的健全身體。現代科學研究證實了達文西的多項推薦、練習和直覺。我們鑾難想像，達文西出現在現代的有氧運動教室裡，做著現代化的健身運動，不過，對於現代人來說，一套個人的健身計畫，眞的是保持身體健康、頭腦敏銳和幸福的基石。欲實現你做爲文藝復興人的潛能，就請實行一套開發有氧能力、力道和彈性的均衡健身計畫。

有氧調節　達文西推測，動脈硬化是提前老化的肇因，可以經由規律的運動加以預防。柯伯博士（Dr. Kenneth Cooper）及其他許多現代科學家，都證實達文西的直覺是正確的。柯伯是有氧運動概念的創始者，他發現，規律而適度的運動，對於身體和頭腦都有深遠的影響。有氧（增加氧氣）運動能強化心血管系統，改善流經身體和頭腦的血液狀況，增加因血液而進入身體的氧氣量。一般而言，你的頭腦重量不到你體重的百分之三，但它使用的氧氣超過全身需用量的百分之三十。一旦你善於有氧運動，處理氧氣的能力就會加倍。

一套規律的有氧運動計畫，能大幅促進警覺度、情緒穩定度、頭腦敏銳度和體力。對一位「身材走樣」的人來說，通常需要一週四次，每次至少二十分鐘，爲期六週的運動計畫，才能產生顯著的效果。（在展開你的運動計畫之前，先請教醫生。）欲使一套有氧計畫成功，秘訣在於找到你所喜愛的運動。快走、跑步、跳舞、游泳、划船或武術，都能結合起來成爲你心目中的理想計畫。

力道訓練　傳說中，達文西徒手折彎馬蹄鐵，還能讓跑走的馬嘎然而止，這樣的力道可能連舉重室最有企圖心的常客也望塵莫及。適度的力道訓練，是均衡的健身計畫中極寶貴的一環。舉重訓練能使肌肉堅實並獲得強化，也能提升結締組織和骨骼的彈性。

最近的研究顯示，力道訓練能預防老人的肌肉萎縮和骨質疏鬆症。它也是燃燒身體多餘脂肪最有效率的方法。若想展開你自己的力道訓練計畫，請找一位好教練或訓練師，向他們請教，如何培養適當的練習姿勢。

彈性練習　凡薩利告訴我們，達文西驚人的體力「又與靈巧結合」。你如果也想增進你的靈巧度，可以透過規律的彈性訓練來試試。在有氧運動及力道訓練的前後，以及早上起床後，做些簡單的伸展練習。適度的伸展能預防運動傷害，也能促進循環及免疫系統。正確的伸展動作，重點在於不慌不忙，充分覺察整個伸展過程，使肌肉隨著徐徐吐氣而輕輕放鬆。絕對不要猛然彈起或強迫自己伸展。你可以從舞蹈或武術學習伸展，最理想的方式則是研究瑜珈。

研究實用解剖學以開發身體的覺知

一項健康的飲食習慣，加上一套關於有氧、力道及身體彈性的訓練，

✓果信等におくられる資料

是獲致幸福健康的關鍵。然而，如果想讓你的健身流程更完整，必須採取一套建設性的方式，加強身體的感知程度、良好的姿態和靈巧的雙手——這些要素，在許多健身計畫中是付之闕如的。

在自我成長的路上，我們常會沈思「我是誰」這個老問題。你可以提出一個更基本的問題：「我在哪裡」，這問題會使進展更明顯。在決定自我形象及自我覺知上，對自己身體形象的認知與對自己身體的敏感程度，扮演舉足輕重的角色。

在談感受那一章裡，我們提出了一套鍛鍊視聽嗅味觸等五種感官的計畫。至於對身體敏銳度的培養，則始於磨練第六感：運動覺（kinesthesia）。所謂運動覺，是你對重量、位置和動作的感知。它會讓你知道，你的身體是放鬆還是緊繃，是笨拙還是優雅。你可以試試下列練習，以此開始磨練你的運動覺，並增進你對自己身體的敏感程度。

達文西對於同時代的醫生非常不以為然：「人人都想把錢賺來奉送給醫生，而醫生乃是生命的摧殘者。所以啦，醫生自然荷包滿滿。」他建議：「避開醫生，因為他們的醫藥是一種煉金術……吃藥的人實在有欠考慮。」

一、鏡中觀察

站在一面全身鏡前（如果你夠勇敢，就脫光衣服）。不要判斷或打量你自己的外表，只要以客觀態度，觀察自己的鏡中影像。你的頭是否習慣傾向一邊？肩膀是否一邊高一邊低？你的骨盆是前凸還是後翹？你全身的重量是均勻分配在雙腳，還是著重在某一腳？你身上有哪一部分似乎太緊綳？你的骨盆、軀幹和頭顱，是否均勻成一直線？在筆記本記下你的觀察。

二、素描你自己的身體

在筆記本上速寫你的全身。別擔心，不是要你畫什麼曠世傑作，只要花五分鐘速寫，即使只是簡單的人形也行。

等畫下全身後，把你身體最緊綳、最壓迫的部位塗上紅色。然後用一枝黑色奇異筆，把身上能量窒礙不通的地方，也就是你最沒有感覺的部位，全部連起來。接下來，用一枝綠筆標出你身上最有活力，能量暢通無阻的部位。

許多人都有一大堆醒目的紅色和黑色區。許多不必要的張力和壓迫，源於我們對自然的構造和功能一無所知，或是認識錯誤。不正確的「身體地圖」會導致對身體的誤用，使壓迫感惡化，也使你變遲鈍。

三、探索你的身體地圖

回到鏡子前，用兩手的食指指向下列各處：

★你的頭顱在頭部達成平衡之處。

★你的肩關節。

★你的股關節。

現在，端詳達文西的人體描繪，開始認清楚你自己的「身體地圖」。

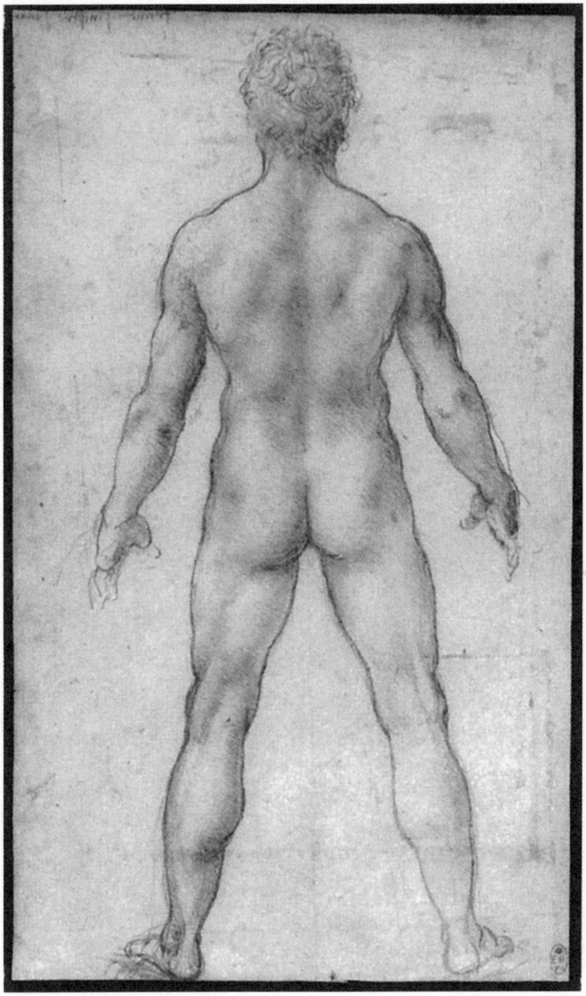

199　儀態

達文西飲食法

一項健康的飲食習慣，再加上有氧運動、體力訓練及彈性運動，會使你活得更健康快樂，也更均衡。飲食法的潮流起起伏伏，不過，若干聰明的基本道理，經得起時間的考驗和科學的審察。

◇選擇新鮮、自然而且對身體有益的食物。達文西不需要擔心吃進太多經過過度加工，放了過多人工添加物的「垃圾食物」，但我們現在可得小心。

◇多攝取纖維質。未煮過或只小煮一下的蔬菜、穀類、豆類等富含纖維的食物，是達文西的主食。這些食物能「清掃」腸胃，使腸胃保持機能活躍與健康。

◇避免大吃大喝。達文西曾建議「晚餐清淡」。吃到八分飽時，就該停下來。這樣會覺得比較舒服，也比較可能長命百歲。（由麥凱博士、馬沙羅及其他許多人所做的實驗都顯示，吃得稍微不足的老鼠，比吃得飽飽的老鼠還要長命兩倍。）

◇喝足量的水。在傳統的義大利飲食習慣中，餐桌上總擺著許多瓶新鮮的礦泉水。你的身體有百分之八十都是水，需要時時補充水份，好把毒素沖掉並讓細胞新生。所以每天都要多吃富含水份的食物，如蔬菜和新鮮水果。如果口渴，最好喝蒸餾水或山泉水，或新鮮的蔬果汁。避免猛灌可樂或其他汽水飲料，因為它們充滿人工添加物和無用的卡洛里。

◇適度攝取脂肪，盡量減少飽和脂肪。食用冷壓搾的健康油，例如橄欖油（達文西的最愛）及亞麻油。徹底避免食用人造奶油。

◇盡量少鹽少糖。均衡的飲食習慣，能提供足夠的自然鹽和自然糖。攝食過量的鹽會導致高血壓和其他疾病，攝食過多的糖則會破壞你的新陳代謝，使身上充滿無用的卡洛里。甜食能快速帶給身體能量，但應該避免甜食的誘惑，因為如果你稍微留心就會發現，吃了甜食不久，精力就會消失。養成習慣，別在食物上多灑鹽或加一匙糖。至少，在你加鹽或加糖之前，先品嚐一下食物再說。

◇只吃「放養的」肉類，並且適量食用。達文西是素食主義者，他最喜愛的家常菜，是由蔬菜、豆類、米或義大利麵煮成的義大利濃菜湯。然而，如果你吃肉，每天最多攝取一份。避免食用被餵食了荷爾蒙、抗生素和其他毒素的動物。

◇讓飲食富有變化。一份多樣的飲食內容，比較均衡，也帶來更多的享受。

◇用餐時享用一點酒。達文西建議用餐時淺酌，但要適量。他譴責飲酒過量和喝醉。根據保險業方面的統計，適度攝取酒精（每天不超過兩杯葡萄酒或啤酒），似乎能使壽命增加兩歲。也有明顯的證據顯示，每天餐中適度飲用紅葡萄酒，能改善體內循環，並幫助預防心臟病。當然，達文西知道，飲酒過量會適得其反，不但減少壽命，也會麻痺神經系統。

◇進食不是光為了吃飽，也要懂得好好用餐。匆匆忙忙進食，胡亂填肚子，常會導致食物選擇失當，引起消化不良。相反的，養成坐下來用餐的習慣，好好兒享受每一餐。要和達文西一樣，創造一個美麗悅人的氣氛：精美的餐盤，桌上擺著鮮花，即便最簡單的食物也精心擺設。一個愉悅的環境和從容不迫的步調，有助消化，並帶來安適悠閒的心情，增進生活品質。

◇最重要的是，在每一餐之前聆聽你自己的身體說話，判斷一下，自己真正想吃什麼。達文西強調：「吃東西若有違自然傾向，有損健康。」如果你有疑問，不妨想像你吃了那個食物之後會有什麼感覺。然後在進餐前停頓幾分鐘，把你的感覺帶到當下這一刻。品味每一口食物的氣味、味道和質感。使每一餐都成為有感覺的經驗。

頭顱平衡　頭顱位於脊椎的頂端，在寰椎·枕骨 (atlanto-occipital joint)關節處。許多人的頭顱平衡點的位置得太低，因爲他們在行動時常不自覺縮著脖子。

肩關節　許多人以爲，肩關節位於上臂與軀幹的連接處，忽略了鎖骨和胸骨，一直沒有察覺這群關節眞正的機動性。這種不正確的「身體地圖」常常造成整個肩帶 (shoulder girdle) 的僵硬，讓人非常不舒服。

股關節　肩關節不是肩膀，股關節也不是臀部。看看一個學步的小孩怎樣彎身撿起一個玩具，你就會看到股關節自然的使用方法。然後再觀察一位成人彎身撿東西，你會看到他或她可能是「彎腰」。從腰部下彎，而非從股關節彎下身，是導致下腰疼痛的主因。

四、認識你的脊椎

進一步修飾你的身體地圖，探討你對脊椎的臆測。你認爲你的脊椎有多寬？在筆記本畫出你所估計的脊椎寬度。現在，再想想脊椎的自然形狀。在筆記本上速寫一副健康脊椎的形狀。務必先完成這兩幅速寫後再繼續閱讀。

你的脊椎比你想像的還要寬。

五、沈重的思想

你的頭腦有多重？猜一猜，寫下你最有把握的數字。

下一次你到健身房時，舉起一個重七公斤左右的槓鈴；當你到超級市場時，拿起一袋七公斤重的馬鈴薯。這個七公斤重的球體，包括你的頭腦、眼睛、耳朵、鼻子、嘴巴和平衡機制。如果這個球體失去平衡，你的全身會有什麼變化？如果你的頭顱沒有與脊椎頂端正確連成一線，你的身體和感官的敏銳度會受到什麼影響？你知道，運動覺知的神經末稍有百分之六十是位於頸部嗎？如果頸部肌肉必須收縮，才能支持一顆平衡不良的頭顱，身體的感覺會變如何？

很顯然，對於有志成爲文藝復興人的你來說，頭顱平衡是首要之務。透過以下練習，你可以強化對這個問題的理解。

六、體驗直立姿態的演化過程

以下這項練習，靈感來自偉大的解剖學家暨人類學家達特(Raymond Dart)教授，我有幸數度訪問他。多年來我帶領許多團體從事這項練習，包括公司總裁、武術家、心理學家、學校教師及警官。這項練習大家一起做更有趣，不過一個人做仍能有所領會。你只需要一塊鋪了地毯的乾淨地板和一條毛巾。

1. 一開始，先俯臥在地板上，雙腳併攏，雙手平放在身體兩側（注意，手心是朝上的）。放條毛巾墊在臉下面。現在是不可能跌倒的。臉朝下，休息一、兩分鐘。沈思一下：如果有一種生物，它與地心引力的關係就像你現在這種臉朝下的平躺關係，它會有什麼樣的意識。試一試在地板上滑動，想像前面有一小口食物，朝著它蠕動前進，會是什麼感覺。

2. 現在，準備來個大演化。你就要突變了。滑動著你貼在地面的手背，從身體兩側沿著地板向前滑動，滑著滑著，滑到你必須翻掌，變成手背朝上。這是你新演化出來的掌，把掌壓在地上，撐起頭和上身。向四處張望，思考一下，因爲這一項演化而擴大了你的視野後，你在意識上有什麼躍升。試用你的手掌幫你探索周遭的環境，並朝食物移動。

3. 接下來，你演化成一隻四足哺乳動物，隨便你選一個最喜歡的動物：馬、狗、美洲獅、瞪羚、水牛等等。用四足行動。你可以模仿那個動物的步伐、聲音和其他行爲，不過這只是爲了好玩。用了這種姿態，你的行爲範圍有什麼改變？在體會上可能有什麼改變？

4. 下一個大躍進是舉起你的前掌，成爲一隻靈長動物，例如黑猩猩、大猩猩或長臂猩猩，然後以猴子的姿態走動。你的身體認知會出現什麼改變？與地心引力關係的改變，會影響你在溝通及社會化的選擇嗎？

5. 現在，站直身體，成爲人類。這種以兩足直立的線條，在先天上是不是有什麼脆弱的地方？你的直立姿態，對於智力與意識的發展有什麼意義？在你平常的觀察中，人們的姿勢和姿態，與他們警覺和敏銳的程度有什麼關連嗎？

達特教授和他大多數的同事都發覺，我們的意識和智力的潛能，與演化成完全直立的身長是密切相關的。然而，生活中的種種壓力，例如坐在椅子上，在電腦前工作，在尖峰時間開車等等，都使我們與這個天生的直立權利脫節了。對大部分人來說，必須重新學習姿態。

重新學習姿態

一、研究亞歷山大技巧

達文西素來以他從容而抬頭挺胸的儀態和優雅著稱。佛羅倫斯的市民三三兩兩走上街道，爭睹他走路的風采。凡薩利以熱切的筆調說，達文西「一舉一動無不優雅」。我們很難想像達文西會彎腰駝背，垂頭喪氣走路。

想培養和達文西一樣的儀態、平衡與優雅，可以先研究另一位天才，馬提亞斯・亞歷山大（F. Matthias Alexander）所開發的技巧。亞歷山大在一八六九年生於澳洲東南的塔司梅尼亞省，是一位莎劇演員，特別擅長悲劇與喜劇的獨腳戲。他的演藝生涯大有可爲，不過，因他常在表演半途失聲而受挫。

亞歷山大請教了當時的一流醫生、語言障礙治療專家和戲劇教練，悉心聽從他們的建議。但是都沒有效。要是一般人早就打退堂鼓，打算轉行了。但亞歷山大和達文西一樣，相信經驗勝於權威。他推測，這問題應該是因爲自己對自己所做的某些事而造成的，於是決心要自己克服自己的問題。但他該如何找出致病的原因呢？

亞歷山大明白，他必須獲得客觀的觀察。於是，他開始在一面經過特殊設計的鏡子前觀察自己。經過幾個月鉅細靡遺的觀察，他注意到：每當他要開口朗誦，就會出現一個模式：

一、他會收縮頸部的肌肉，因此頭會往後縮。

二、他會壓低喉頭。

三、他會張口喘氣。

他進一步觀察，注意到這種張力模式與下列的傾向有關：

四、胸膛往外突。

五、背部凹陷。

六、收縮全身主要的關節表面。

亞歷山大不斷觀察，確實發現每一次他開口說話，或多或少都會產生這種模式。

他注意到，每當他一想到要背誦台詞，就會出現這種錯誤。亞歷山大知道自己必須先「忘卻」這種模式，重新教育他的頭腦和身體成爲完整的系統，才能改善情況。他注意到重點：在行動前先暫停，克制平常收縮的習慣，把焦點集中在他開發出來的特定「方向」，以便協助他拉長並延展身體。亞歷山大如此形容：「讓頭部放鬆，使頭部能夠往前伸，往上拉，使背部伸長和拉寬。」他還創造了一個澳洲式的禪宗公案，強調這些方向必須「一起投射，一個接著一個」。

亞歷山大一遍又一遍練習，產生了驚人的結果：他不但全盤重掌自己的聲音，還根治了許多慢性毛病，在表演舞台上以聲音、呼吸方式和風采而享有盛名。

大家開始湧向亞歷山大求教，其中包括一個由醫生組成的業餘劇團。這些醫生開始把他們罹患壓力病、呼吸問題、背部和頸部疼痛等慢性病的病患送到亞歷山大那裡。結果，在多得驚人的案例中，亞歷山大都能協助病患，除掉那些導致疾病的不恰當舉止。

「懂得觀看」

「懂得觀看」是亞歷山大的一大天賦。他的發現，來自於不辭辛勞地進行鉅細靡遺且敏銳異常的觀察。在1940年，贊助者集資要送他到英國，但資金還短少幾百英鎊。亞歷山大如何湊足這一筆可觀的款項呢？亞歷山大和達文西一樣，對於馬有一股狂熱。他憑著在馬匹解剖學方面的研究，來到賽馬場，花一點小錢，在一匹英挺的冷門馬兒身上下注……然後大勝。

這群醫生對亞歷山大佩服得五體投地，於是在一九〇四年贊助他搭船到倫敦，與全世界的科學團體分享他的工作心得。他抵達倫敦後，旋即被稱爲「倫敦劇場的保護者」，爲當時頂尖的男演員和女演員授課。亞歷山大的工作也對許多作家和科學家產生深遠的影響。

亞歷山大在一九五五年逝世，辭世之前，他訓練了一批人員接續他的工作。多年來，皇家戲劇學院、皇家音樂學院、茱麗亞學院，以及其他培養音樂家、演員、舞者的頂尖學院都傳授亞歷山大技巧。事實上，這項技巧已經成爲表演藝術界的一項「職業秘密」。職業和奧林匹克的運動選手、以色列空軍、公司主管和各行各業，也都練習亞歷山大技巧。

亞歷山大的工作始於敏銳的自我觀察。所以，你也開始在自己的筆記本上，記下你日常活動的各種努力是否得宜。觀察你坐著、彎身、舉物、走路、開車、吃東西和說話時，何處不適當。在你拿起牙刷、在電腦前工作、講電話、拿起一枝筆寫字、與陌生人碰面、在大眾面前說話、擊出一顆網球或高爾夫球、轉動你的方向盤、彎腰拾起一樣東西，吃一口食物時，你是否使頭部變硬、把頭往後挺、抬高肩膀、使背部變窄、拉緊膝蓋或屏住呼吸？

如果沒有外在的反應，我們很難觀察到自己這些日常習慣並加以改變。利用一面鏡子或錄影機，當然有用，但若要加速進展，最好的方法莫過於跟隨一位合格的亞歷山大技巧老師學習。教授亞歷山大技巧的老師都受過訓練，雙手能以無比的輕柔和細膩引導你放鬆頭部，重新找出你身體的自然直線，並且喚醒運動覺的敏銳度。

在找老師練習的同時，你可以利用下面這一套從亞歷山大技巧得到靈感的程序，開始培養每一天的儀態和平衡。

二、培養平衡的休息狀態

想從這個程序獲益，你只需要一個還算安靜的地方，一處鋪上地毯的地板，幾本平裝書，以及十到二十分鐘。

1. 先把書本擺在地上。站在離書本約一個身體長的距離，兩腳張開，與肩同寬。雙手輕輕擺在身體兩側。背對書本，直直向前看，目光焦點柔和但機敏。停頓幾分鐘。
2. 頭部放鬆，好讓頭部可以往前及往上伸展，整個軀幹可以拉長拉寬。輕鬆呼吸，察覺雙腳與地板的接觸，並留意雙腳與頭頂之間的距離。眼睛張開，保持靈活，聆聽周圍的聲音。
3. 保持這份感覺，輕盈而迅速地移動，單膝跪在地上。然後坐在地板上，用身後的雙手支撐身體。雙腳平放地上，彎曲膝蓋。繼續輕鬆呼吸。

4. 頭略往前垂，確保沒有繃緊頭部的肌肉而把頭往後拉。

5. 然後在地板上輕輕滾動你的脊椎，把頭枕在書上。這些書本應該能在頭部尾端及接到頭部的部位支撐你的頭部。如果你的頭沒有放好，就用一隻手撐頭，另一隻手則把書本調到正確的位置。加進或拿掉幾本書，直到你找到一個能使頭部肌肉輕輕伸長的高度。繼續把雙腳平放在地上，膝蓋朝向天花板，雙手放在地上或輕輕疊在胸前。讓地板支持你全身的重量。

6. 以這個姿勢躺一、二十分鐘，對你有好處。當你休息時，地心引力會拉長你的脊椎，使你的軀幹重新對齊。眼睛張開，不要打瞌睡。你不妨把注意力放在呼吸的流動，以及全身的輕柔脈搏。感覺一下支持著你背部的地板，讓肩膀在背部舒展時能夠放鬆。當你全身拉長與伸展時，使頭部放鬆。

7. 休息一、二十分鐘後，慢慢起身，小心在你回復站立姿勢時，不要縮起身體或又變僵硬。爲了能流暢地從躺著轉成站立，先決定何時要移動，然後輕輕轉身，保持你剛剛獲得的整合感和擴展感。慢慢轉成匍匐的姿勢，然後回到單膝跪地。以頭部帶動身體往上拉，站起來。

8. 停頓幾分鐘……聆聽，眼睛保持靈活。然後，再一次感覺雙腳踩在地上，注意雙腳與頭頂的距離。你可能會訝異，身體伸展了不少。以此程序起床，準備展開一天的活動，想像自己正以達文西筆下人物的優雅來動作。

若想獲得最好的結果，一天做兩次「平衡的休息狀態」練習，可以在早上起床、下班回家後，或晚上睡前做。當你覺得工作負荷過重或壓力太大時做一做，或是在運動前後做這套程序，效果最好。規律的練習能使你輕鬆挺立，姿態大方，一舉手一投足都流露平衡和優雅。

給父母的建議

把一隻手放在嬰兒背後，感受你指尖下的完整、彈性和生機。小孩子天生就是儀態大方，一舉一動無不充滿優雅和協調。當他們逐漸長大時，這份儀態會變得如何？嗯，大部分的孩子直到小學一年級都還差強人意。回頭看看你小學一年級的照片，你會看到，多數小孩都優美地挺立著。但是看看三、四年級學生的姿態，開始彎腰駝背，產生各種扭曲和張力。許多孩子的青少年時期總是彎腰駝背。現在到百貨公司或任何你可以觀察整個家庭進出的地方。注意看看走在一起的父母和小孩，你會發現，他們的姿態和動作的習慣和怪癖簡直如出一轍。我們也許無法把致使孩子彎腰駝背的生活重擔和張力完全擋開，至少可以做個榜樣，自己先做到儀態正確。

培養靈巧的雙手

米開朗基羅在西斯汀教堂作畫時，把畫筆從一手換到另一手，使觀者目瞪口呆。達文西天生是左撇子，他也培養出同樣的左右開弓，在畫〈最後的晚餐〉等傑作時，經常換手畫畫。

我曾訪問達特教授，探詢他對於人類潛能的開發有何忠告，他回答：「平衡身體，平衡頭腦。未來全靠雙手靈巧的人類！」達特強調，大腦皮質的右半球控制身體的左半邊，而左半球則控制身體的右半邊。他指出，協調身體的左右兩邊，能提升大腦左右半球的協調和平衡。

先試探你所不慣用的那一手能有怎樣的威力，以此展開左右開弓的研究。嘗試以下練習：

反轉交叉：用與平常相反的方向來交疊十指和交叉雙臂。試著眨動比較弱的那一眼，並把舌頭向兩邊轉。

使用非你慣用的那一手：找一天試用平常不慣用的那一隻手，或只進行半天就好。用這隻手打開電燈、刷牙、吃早餐。在筆記本寫下你的感覺和觀察。

寫字：嘗試用另一隻手寫名字。然後選一個題目，做一節「意識流寫作」（你可能會發現，用平常不習慣使用的那一手寫字，會改變你看事情的方法，更接近直覺。）

嘗試用兩手同時寫字和畫畫：練習過以非慣用的那一手寫字後，嘗試用兩手同時寫字和畫畫。如果可能，在黑板上做這個練習。畫出圓圈、三角形和正方形。用雙手同時簽名。

寫反字：你會很驚訝，寫反字其實很好學，只需要一點點練習。

來一個單邊交叉提神法：在學習、工作或與一項創意的挑戰奮鬥時，以此法來提神：把手伸到背後，用左手碰你的右腳，然後用右手碰你的左腳，共做十次。或是抬起你的左膝蓋碰你的右手，然後以右膝蓋碰你的左手，共做十次。

看得見的優雅

「透過藝術而永垂不朽的動作，一定要非常特別；它必須是看得見的優雅。雖然文藝復興時代的文人對優雅一詞並沒有形諸於定義，他們卻會同意，優雅指的是一連串流暢的轉接。優雅，表現在流動的手勢、飄動的布幔、捲曲或蕩漾的頭髮上。一個突如其來的轉折是很粗魯的；優雅的轉折則是連續的。達文西在細節上繼承了這個關於動作與優雅的傳統，並把它擴展到整體。」

以上是克拉克對於藝術上的優雅所做的評論，反映出亞歷山大技巧在日常生活中所培養的特質：優雅、連續、完整，在每一個日常起居的動作中，如坐下或站起或由站而行走，具體表現出「流暢的轉接」。

學習耍把戲

學習耍把戲，是發展左右開弓、平衡和身心協調的絕佳方法。達文西的傳記作家維倫婷（Antonina Valentin）表示，達文西是個能耍把戲的人。這門技藝，是他爲贊助者所設計的遊行及聚會上的一項活動，也與他對變戲法的熱愛不謀而合。此外，你即將學到的基本把戲模式，是一個環結，又叫無限的記號。

拿三個球（網球即可），嘗試以下方法：

1. 拿一個球，從一手拋到另一手，拋出一個稍稍高過頭頂的弧線。
2. 拿兩個球，一手一個。把右手的球拋向左手，待球到達最高點時，以同樣方式拋出你左手的球。拋球的時候注意，要圓滑平順，讓兩個球都掉到地上。
3. 仿照步驟二，但這次接住第一次拋出的球。讓第二個球落地。

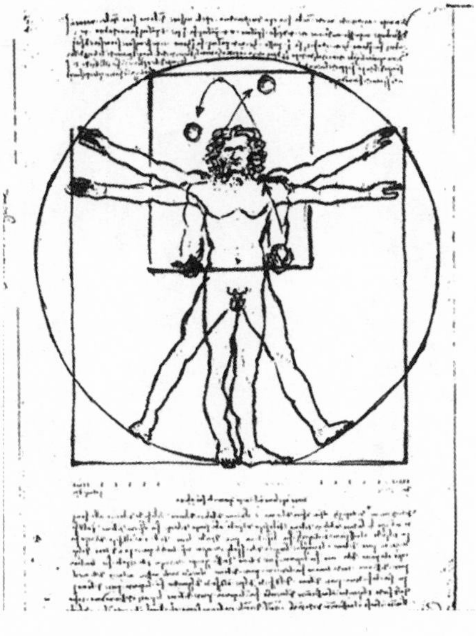

4. 仿步驟二，但這次兩個球都要接住。

5. 現在你準備嘗試三個球了。把兩個球放在同一手，另一個球放在另一手。把同在一手的兩球中的前方那顆拋上去，當它到達最高點時，拋出另一隻手的那個球。當它到達最高點時，丟出剩下的球。讓它們都落到地上！

6. 仿步驟五，但這次接住第一顆球。

7. 仿步驟五，但這次接住前兩顆球。如果你接住了前兩顆球，並且還記得拋出第三顆球，你就會注意到空中只剩下一顆球，而你早就會接一個球了。如果你接住了第三顆球，你就體會到第一次要把戲的經驗了。好好慶祝吧！

當然，一旦能耍把戲，會希望精益求精，體會多重的耍把戲。你在繼續練習時，要注意拋球的平順和方向，球掉到地上時也不慌不忙。如果你把注意力集中在拋球，並保持呼吸輕鬆自如，那麼成功是指日可待的。

工作中的儀態

你身體的狀態會影響你的腦。如果你的身體僵硬又拘謹，或是鬆垮垮又斜一邊的，你的頭腦通常也會變成這樣。語言中有許多表達方式就說出這種關係，例如：「他們對此採取強硬的姿態。」

大部分公司員工的身體都太僵硬，完全由不自覺的習慣所主宰。例如，在會議和腦力激盪會上，眾人一坐好幾小時，保持同樣的姿勢，想要產生新點子及解決問題。而他們竟然不解：「為什麼我們卡住了？」

許多企業組織引進了簡短的坐姿按摩、瑜珈和空手道課程，來幫助員工發掘身心更大的彈性。除了這些訓練之外，你還可以嘗試以下的練習，使你下一次的企劃會議或腦力激盪更活潑。(如果你是獨自一人，可以對著鏡子練習。) 目標是盡可能以新奇的方式，同時帶動身體最多的部位。這項練習能讓你以前所未有的方式擺動身體，從而改變你習慣性的身心姿勢。

找個夥伴，面對面站著，模仿夥伴所做的一切動作。例如夥伴舉起右手拍頭，然後把手放回原位。你也模仿這個動作，繼續一直做，等待夥伴做出下一個動作。你的夥伴接下來可能會用左手拍她的左腳。你也模仿，同時繼續先前的動作。你的夥伴搖擺她的肩膀。模仿這個動作，同時繼續先前兩個動作。然後你的夥伴又發出雞叫的聲音，或哼一段電視影集的主題曲。你也模仿這個聲音，同時繼續先前的動作。然後她的頭繞著大圈子轉動，諸如此類。

一次至少做五種不同的動作。動作盡量不尋常，而且好笑。然後對換角色，由你帶領夥伴做出更可笑的動作。換個夥伴，整個過程再來一次。這項練習總能提高大夥的笑聲和樂趣。它會撼動舊有的模式，釋放大量的能量，並可能會找出新的關連。

關連

了解萬事萬物和所有現象是
相互關連的，並能加以欣賞

把一顆石子丟進靜止的池塘，水面會形成一圈一圈往外擴散的漣漪。在腦海中喚起那個漣漪的影像，並問自己，一個漣漪如何影響另一個漣漪，漣漪的能量到哪裡去了——這時候的你，想的就和達文西一樣。不斷擴散的漣漪，是一個能夠說明關連原則的美麗比喻，可見諸達文西經常對周遭事物的模式和事物關連性所做的觀察：

> 在石子擊中水面之處，周圍產生許多圓圈，不斷擴散直到逐漸消失。以同樣方式，當空氣被聲音或噪音一擊，也會產生一個環形運動，所以在遠方的人聽不到那個聲音。……
>
> 水面的運動與頭髮的運動多麼相似。頭髮有兩種運動，一由頭髮的重量而來，一由波浪和鬈髮而起。水也有洶湧的渦流，其中一部分追隨主要水流的力量，另一部分則服膺反射的運動。……
>
> 在水中游泳，使人得知鳥類在空中如何飛翔。游泳闡釋了飛行的方法，並顯示最大的重量在空氣中會遇到最大的阻力。……
>
> 山脈是由河川的水流所形成。山脈也是由河川的水流所摧毀。
>
> 每一部分都會分解，復歸於整體，藉此逃離自身的不完整。

以下這個話題，許多人都遇過。只不過也許問法不同。這問題的用意在於啓發讀者以關連的觀念來思考：「如果有一隻蝴蝶在東京搧動翅膀，它會影響紐約的天氣嗎？」對於這個經典的問題，當代的系統理論學家總興高采烈地回答：「沒錯！」然而，早在五百年之前，系統思考的鼻祖達文西就寫下：「整個地球，被一隻棲息於其上的小鳥移動了位置。」

達文西經常在筆記本邊緣記下這些驚人的觀察。多年來，有一群學者批評達文西的筆記本毫無秩序可言，他從不提供目錄、大綱或索引，而是隨機潦草寫下筆記，主題隨意變換，內容常常重複。但是支持達文西的辯護者指出，達文西的關連感是如此全面，以致於他的觀察不管彼此怎麼關連，都言之成理。換句話說，他不需要分門別類，不需要設立大綱，因爲他看到萬事萬物無不與其他事物相關。

達文西的創造力無與倫比，秘訣之一，是他終生都在練習著把互不相干的元素結合起來，使之產生關連，形成新的模式。凡薩利提到，達文西童年時受託爲一個農夫在盾牌上作畫。年幼的達文西，極想畫出一個「嚇壞每一位觀者」的圖像，因此收集了一堆「匍匐的爬蟲動物、綠蜥蜴、蟋蟀、蛇、蝴蝶、蝗蟲、蝙蝠和其他奇奇怪怪的生物，然後從這光怪陸離的組合中擷取不同部分，創造出一個非常可怕又嚇人的怪物，吐出毒氣，使空氣轟然著火」。

凡薩利說，當達文西把這幅創作拿給委託達文西創作的人，也就是凡薩利的父親看時，凡薩利的父親著實嚇了一跳，也驚嘆達文西驚人的才華，因此賞給那位農夫另一面盾牌，而把這作品以一百金幣賣給一位佛羅倫斯的商人，這商人又以三百金幣的價格把它賣給米蘭的大公。

和一首詩一樣，整體比各部分的總和還要精彩。下列各項達文西「待完成」的問題，會引發好奇與關連的精神。

◎顯示雲朵如何形成，如何消散。

◎水氣如何從地上升到空氣中。

◎迷霧如何形成，空氣如何變得凝重。

◎為什麼一波海浪看起來比另一波還藍。

◎雪和雹的成因。

◎水如何凝結，變硬成冰。

◎新葉如何在樹上生出。

◎寒冷地區的岩石上如何形成冰柱……

許多年後，達文西寫了一篇簡短的指引，稱爲「如何使一隻想像中的動物顯得神龍活現」。他建議：「因此如果你想使一隻想像的動物看起來像眞的——假設是一隻龍好了——就拿獒犬或長毛獵犬的頭當作它的頭，畫上貓眼和豪豬耳、獅子的眉毛，老公雞的太陽穴，加上龜的頸子。」達文西住在梵蒂岡的貝維德洛（Belvedere）時，曾經爲一隻活生生的蜥蜴雕琢了一隻角、鬍鬚和翅膀。根據凡薩利的記載，他把這蜥蜴放在一個特別的盒子裡，「拿給他的朋友看，嚇得他們落荒而逃」。

達文西筆下的龍，恰可完美代表他在「結合」與「關連」這兩方面的獨特秘方。他觀察上千張人臉，藉此研究美的本質，然後結合他所觀察到的不同元素，創造出繪畫中的完美容貌。他對於音響效果的洞察，則出自他觀察水文而得的關連。他曾在筆記本裡，比較光線行進的速率和方向、敲擊的力量、回聲的聲音、一塊磁鐵的磁力線，以及氣味的移動。

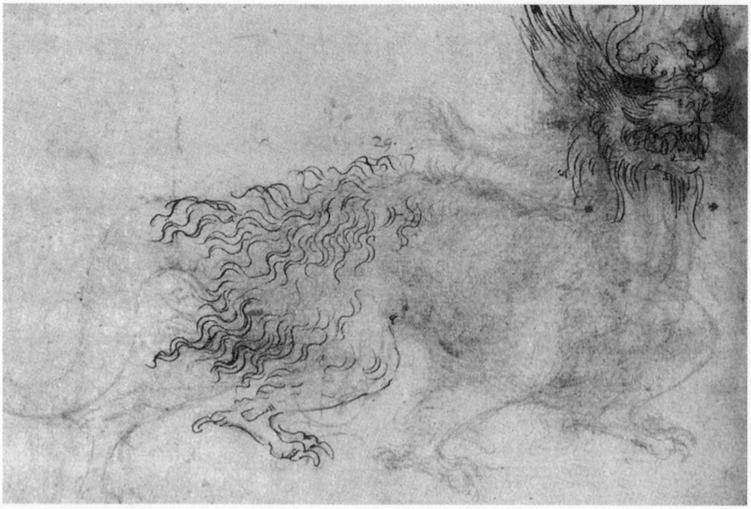

達文西所畫的龍

他的許多發明和設計，都是出於他以玩遊戲又富想像力的方式，結合了不同的自然形體而得。達文西在研究上所抱持的嚴肅和熱忱，筆墨無以形容，不過，你看他那麼熱愛笑話、謎語和關在盒中的龍，他本身其實是非常愛玩耍的。佛洛伊德評論道：「的確，偉大的達文西終生都保有赤子之心……即使在成人後仍然繼續玩耍，此所以他在同時代的人面前總顯得神秘又費解。」達文西的嚴肅，驅使他穿透事物的本質，而他的遊戲心情，則使他得以創造出別出心裁的獨特關連。

對達文西而言，關連，始於他對自然的熱愛，透過他對人體與動物解剖的研究而更上一層樓。他的比較解剖學研究，包括肢解馬、牛、豬和其他許多動物。他寫下了啄木鳥的舌頭與鱷魚下顎的差異，並找出其中關連。他把青蛙腿、熊掌、獅子眼睛和貓頭鷹瞳孔與人體的相關部位做連結。很顯然，他的研究，遠超過一位畫家爲了準確描繪所需的知識。達文西把人體當成一個完整的系統，一個相互關係的協調模式。他說：「我將從各個方向來解說每個部位的功能，在你面前描述人體的全形和實質。」

達文西稱自己對解剖學的研究爲「小宇宙的宇宙學」。他對於人體自然比例的欣賞，也反映在建築及城市計畫的研究上。他對於人體的了解，使他提出洞見，把地球比喻爲一個活生生的系統。他寫道：

古人謂人體即一小宇宙，這個名詞的確有見地。人是由土、水、風和火組成，地球也是如此；人有骨骼做為肌肉的支撐和架構，地球也有石頭支撐泥土；人體攜帶一湖血液，肺部在呼吸中膨脹又癟縮，地球上也有海洋，在宇宙的呼吸中每隔六小時漲潮與退潮；血管從血液之湖往外放射，分布到人體上下，海洋也以同樣方法，使無數的水系支脈遍布全地球。

達文西的想法，比當代物理學家波姆 (David Bohm) 所提出的「全像式宇宙」(holographic universe) 早了五百年。波姆推斷，宇宙的「遺傳密碼」存在於每個原子中，就如一束ＤＮＡ即囊括一個人的遺傳密碼。達文西曾寫道：「每一個置身於發光大氣中的物體，都以圓圈狀往外擴散，使它周圍的空間與它極爲神似，在一切中顯現一切，在每一部分中顯現一切。」又說：「這是一個眞正的奇蹟，所有的形狀和顏色，宇宙各部分的所有形象，都集中在一個點上。」波姆的理論含有「內蘊層次」(implicate order) 的概念，這是一種把宇宙結合在一起的「深層結構」。波姆在一九八〇年寫下「一切都包裹在一切中」，而五百年前的達文西就曾寫道：「一切來自一切，一切是由一切組成，一切終將回歸一切。」

達文西帶著遠見、邏輯、想像，以及對於眞理和美感永不饜足的渴望，一頭鑽進大自然的無盡微妙之中探索。然而身爲經驗的門徒，達文西學得愈多，諸神秘顯得愈是深奧，最後他說：「大自然充滿無窮的因，經驗永遠無法逐一證實。」對此，布藍利解釋，當科學碰到極限，就由藝術領頭，說達文西「面對他只能沈思卻無法穿透的種種神秘，張口結舌，無以置一詞……於是他把解剖小刀、羅盤和筆擺到一邊，重拾畫筆」。

因此，我們必須回到達文西的繪畫和素描，從中尋找他對於關連所做的至高表現。明眼人看得出他一生作品的關連；例如，他對於普遍模式或「內蘊層次」的洞察，見諸各畫作的細節，從維洛其奧的〈基督的洗禮〉畫裡天使頭上的髮絲，到〈聖母聖嬰和聖安娜〉裡人物的組合、〈蒙娜麗沙〉裡的風景，到他描繪大洪水時所做的洶湧大浪。

學者在達文西的自然哲學與藝術之間，找出數不盡的連結，但最好是由你自己來發現。讓下面這句柏拉圖的名言來啓發你：

> 欲行正道的人……應該從少年起就參訪美麗的事物……從中他應會產生美好的思想；而且很快會察覺，一種形式之美近似另一種形式之美，而每種形式的美感殊無二致。

達文西與東方哲學

有幾位學者推測，達文西可能到過東方，但是沒有具體的歷史證據顯示達文西曾做過這趟旅行。然而，達文西清楚表達出許多亞洲智慧的核心概念。布藍利把達文西的某些文稿拿來與禪宗公案相比。〈蒙娜麗沙〉是他對於陰陽原則的最高表現；達文西是西方畫家中第一位把風景當成一件藝術品的中心焦點，而這在東方繪畫中很常見。達文西的素食主義，以及提倡不執著於物質，都使人聯想到印度教，而這在十六世紀的佛羅倫斯或米蘭極不尋常。他也以西方語言表達出佛教對於空無的教義：「空無沒有中心，而其邊界亦是空無。」又說：「我們所能發現的偉大事物中，以空無為最偉大者……它的本質一如時間位於過去和未來，目前並不擁有任何東西。空無的部分相當於整體，整體相當於部分，可分割相當於不可分割，不管我們怎麼乘或除，加或減，它的量都不變。」

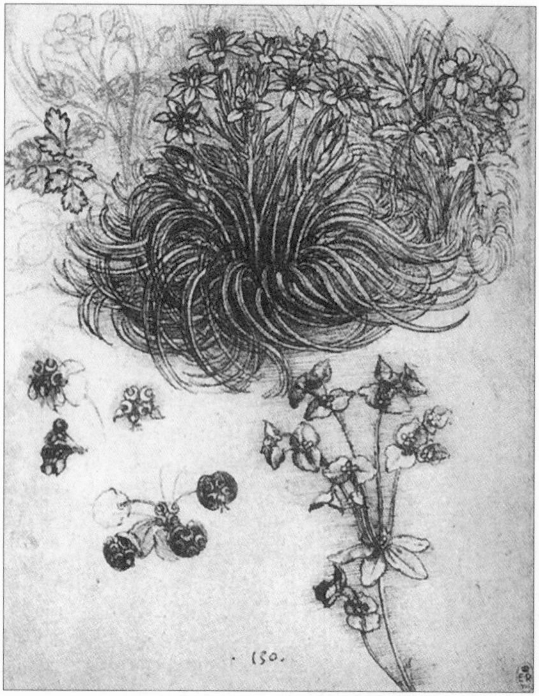

(左) 伯立恆之星
(下) 大洪水的研究

(上) 漩渦　(右)頭髮

關連與你

如果你已經從第一頁一直閱讀到這裡，你極可能也和達文西一樣，是個追求事物關連性的人。身體上，我們追求健康(在英文裡，"health"一字源於古英語的"hal"，意指「整體」)、情感和性結合的狂喜。情感上，我們渴求一份歸屬感、親密感和愛意；理智上，我們追尋模式和關係，致力了解種種系統；而精神上，我們則祈求與神性合而爲一。

本章的目的在於提供你實際的工具，讓你在自己的天地中編織出更美麗的關連繡帷。一開始，請你先做以下的自我評量。

關連：自我評量表

- □我很關心生態。
- □我喜歡明喻、類比和隱喻一類的東西。
- □我常常能看出別人所見不到的關連。
- □我旅行時，感到驚訝的是人與人之間的相似性，而非相異處。
- □我對於飲食、健康和治療都抱持「整體」的取向。
- □我對於比例的感覺非常強。
- □我可以清楚說明家中和工作場所各種系統的動力學，包括其運作模式、關連和網絡。
- □我的生活目標和優先順序條理分明，也與我的價值觀和目的感整合為一。
- □有時候我感到與一切造物有密切關連。

應用和練習

沈思整體

整體對於你有什麼意義？嘗試以一幅圖畫、一個姿勢或一段舞蹈，表達出你對整體的概念。你在日常生活中能體驗整體嗎？體驗過互不關連嗎？請描述其中的差異。你的性格是由哪些不同的元素組成？你自身的不同部分會互相衝突嗎？換句話說，你的頭腦、情緒和身體是否意見不合？如果不合，那麼是哪一部份常會佔上風？描述你頭腦、心靈和身體的一些動態，然後嘗試以圖像解說。

達文西有一項觀察心得：「每一部分都會分解，復歸於整體，以便能逃離自身的不完整。」請你針對他這說法做一節意識流寫作。你認爲，他這話能成立嗎？

家庭動力學

當代心理學強調，了解家庭的「系統動力學」，對於認識自己是非常重要的。在你尋求認識整體及自我的過程中，沈思下列關於家庭的問題，將可獲得寶貴的見解：

★在家中，每個人扮演的角色爲何？

★這些角色彼此如何依賴？

★家庭中角色的分配有什麼好處？代價如何？

★在壓力之下，這些動力有什麼變化？

★有哪些模式是代代相傳的？

★影響家庭動態的最主要外力是什麼？

★一年前的動態如何？七年前又如何？它們有什麼改變？一年後它們會變得如何？七年之後呢？

★你在家庭中學到的哪些運作模式，會對於你參與其他團體的方式造成影響？

★當你對以上的問題產生了某些見解之後，嘗試把你的家庭視爲一個系統，畫出一張示意圖。

身體的比喻

人體，是達文西最喜愛的比喻。試用人體來進一步探索你的家庭系統動力。回答下列問題：在你家中，

★誰是頭？

★誰是心臟？

★頭腦和身體互相平衡嗎？

★家中營養的品質如何？

★家人對於營養的消化與吸收好不好？

★家人處置廢物是否很有成效？

★家人的循環如何？動脈有硬化現象嗎？

★家人的背脊骨怎麼樣？

★家人最敏銳的感官爲何？最遲鈍的又是什麼呢？

★右手知不知道左手在做什麼？

★家人的健康狀態如何？有慢性病、自然的成長期陣痛，或是威脅生命的疾病嗎？

★家人致力於變得更健康、強壯、有彈性又儀態大方嗎？

畫龍

能不能看出事物的關係和模式，並做出不尋常的組合和關連，乃是創造力的核心要素。達文西筆下的龍及其他創新和設計，都得自他能從看似風馬牛不相及的事物中找出關連。你也可以觀察乍看之下毫不相干的事物，找出不同的關連方式，發展出和達文西一樣的能力。

例如，以下的配對有什麼關連：

1. 一隻牛蛙和網際網路？

牛蛙的腿有蹼（webbed），電腦網路能使你連結上全球資訊網 (World Wide Web)。

2. 一條東方地毯和心理治療？

東方地毯具有繁複而重複的圖案，你的心靈也是。

了解做法了嗎？試爲以下各配對找出三、四種關連。這項練習對於個人和團隊的腦力激盪是很好的暖身。好好兒玩。

試爲下列的配對找出其間關連：

1. 一片橡樹葉和一隻人手。
2. 一個笑聲和一個環結。
3. 一碗義大利濃菜湯和美利堅合眾國。
4. 數學和〈最後的晚餐〉。
5. 一條豬尾巴和一瓶酒。
6. 一隻長頸鹿和生菜沙拉。
7. 大洪水的草圖和尖峰時間的交通。
8. 一隻豪豬和一台電腦。
9. 日本武士和一場棋賽。

工作上的關連

致力於發展「學習型組織」與「整體品質」的作風，正是把關連式思考法應用到組織中的嘗試。著有《第五項修練》一書的彼得．聖吉 (Peter Sange) 強調，複雜又急速變化的系統，需要我們培養「一種訓練，能夠看出整體……一個架構，能看出相互關係而非個別事物，能看出改變的模式而非快照式的個別現象。」聖吉又以一種和達文西一般的神來之筆說：「真實事物是由圓圈組成，但是我們只看到直線。」

把關連的原則運用到你所處的組織，可以強化你對於圓圈的關照，以及做為領導人的能力。選擇一個組織，提出「家庭動力學」那一節的問題。如果你選的是一個大組織，可以用「部門」、「特別任務組」或「商業單位」來代替個別的人。然後嘗試畫出一個代表組織系統動力的圖表。最後，從「身體比喻」中的問題來檢視你所處的組織。

10. 蓋希文的〈藍色狂想曲〉和雨。
11. 龍捲風和一頭捲髮。
12. 耍把戲和你的生涯規劃。
13. 虎眼萬年青和關連的原則。

若想了解，在你的世界中種種系統如何運作，就想一想它們在極端的情境下有何表現。在婚禮、家中有人生重病或出生和葬禮等場合，你最能了解你的家庭動力。而一個組織眞正的前景和價值觀，會在一次特別糟糕的財務狀況、人際關係危機或市場上出乎意料的變化之後，揭露無遺。

想像的對話

幾年前，美國第一夫人希拉蕊・柯林頓與已故的羅斯福總統夫人依蓮諾做了一場「想像的對話」，因而遭人奚落。不過，與一位想像中的榜樣「談話」，是一個由來已久的獲得見解和關照的有效方法，曾獲偉大的義大利詩人佩托拉克大力推薦，也在梅迪奇學園中推行。

選一個你想整頓的問題，或是一個你想更深入了解的議題。除了沈思大師的觀點之外，你還可以想像你的正面榜樣或「反面教材」，或歷史上一位傑出人物所可能提出的觀點。你甚至可以擬想幾位人物，不論古今，不拘眞實或虛構，對你的問題或議題展開對話，從而獲得更多的樂趣，並進一步刺激創造力。例如，想像一下，下列人物會如何針對你的議題對話：

★米開朗基羅的大衛和達文西的聖約翰。

★美國當代女星維諾娜・瑞德 (Winona Ryder) 和前英國首相柴契爾夫人。
★「人體比例圖」的圖中人物和英國小說家珍・奧斯汀。
★拳王阿里和蒙娜麗沙。
★爵士樂小喇叭手邁爾斯・戴維斯，和文藝復興時代的畫家維洛其奧。
★比爾・蓋茲和羅倫佐大人。
★基督和佛陀。
★任何你喜愛的人物組合。

一切來源思考法

在「感受」那一章，我曾建議你在吃飯前停頓一下，把感覺帶進當下。這項練習，除了提升你品嘗食物的經驗之外，還提供機會使你更接近關連原則。在你品嘗第一口食物之前，先沈思一下你準備大快朵頤的食物來源。例如，有天晚上，我和一位朋友享受了一大碗由大蒜、橄欖油、黑胡椒和羊酪調製的義大利麵，配上一盤清脆的萵苣、新鮮蕃茄、西洋芹和烤紅辣椒所做成的沙拉，再淋上由橄欖油、檸檬汁、大蒜和羊酪調製的醬汁。這頓我們例行的星期二晚餐，因兩杯一九九五年份的蒙地雅諾紅酒更顯特殊。我們兩人在享受佳餚之前，先用幾分鐘感恩，並思索一下我們即將接受的恩賜從何而來，並且畫下一張心智圖，說明我們倆對於這頓晚餐來源的一些想法。

思考事物的本源，是欣賞關連的一個好方法。當代的一位全才型人物富勒 (Buckminster Fuller)，素以驚人的即席演講而震懾聽眾。富勒不會預先準備講稿，照本宣科，而會請聽眾建議一個主題，任何事物都行。在一次典型的演講上，一位大學生提議富勒討論一個保利龍杯。結果，富勒以兩小時討論這個杯子的起源，從導致保利龍發明的化學工程進展，與製造保利龍有關的經濟及社會力量，一直談到它們在文化及環境上的意涵，滿場聽眾如癡如醉。

走到極端做關連

〈最後的晚餐〉一畫，與達文西對於大洪水的研究有什麼關係？大師有一次坐在一個垂死的人身邊，安撫他，使他安詳辭世。在那老人嚥氣後沒多久，達文西開始解剖屍體，對於一個人能如此安詳辭世大感著迷。達文西在追求真理及理解自然系統的本質時，常常會走極端。他以解剖學般的細膩深入，研究了交媾行為，他為奇形怪狀的人物舉辦的派對，他對於班德尼利 (Bandinelli) 的弔死情節和幻象式的戰爭機器所做的精彩素描，在在顯示他憑直覺得知，若要了解一個系統，就必須在極端的情境下探索它，想像它。達文西〈最後的晚餐〉與先前其他人的版本截然不同，因為此畫把焦點凝聚在最極端的戲劇情節上，亦即耶穌宣稱「你們其中一人將會背叛我」的那一刻。他對於大洪水的研究，亦即洪流造成的世界末日的研究，則代表大自然的力量凝聚起來所導致的重度毀滅。

請任選下列一個主題，思考它在製作過程中牽涉的一切：

★這本書。

★你現在身上穿的衣服。

★你的手錶。
★你的電腦。
★你的皮夾或錢包。
★任何你喜歡的東西。

如果你偶爾做一次這個練習，並且不斷探索事物更深層的緣起，你就不可能不發現，果然如達文西所言，「萬事萬物均與其他一切相關」。

小宇宙與大宇宙的沈思

達文西對於事物源頭的探究，使他能深刻玩味小宇宙和大宇宙的關連。這個關連在古往今來的許多文化中都極受關注，也以不同的方式表現出來，現在更受到當代科學的高度重視。海森柏（Heisenberg）、門德伯特(Mandelbrot)、皮高璟（Prigogine）、皮布藍（Pribram）、喜爾卓克（Sheldrake）、波姆、恰普拉(Chopra)、佩特等人，共同奠下了基礎，使得現代科學了解「在上如在下」("As above, so below")這古老的箴言；而這份了解，使人更深一層認識到關連。正如神經科學家佩特強調的：「在上如在下。如果你不這麼想，就會受苦，就會脫離我們的根源，脫離我們與天地萬物的融合，因而飽受壓力。」

當你仔細感覺自己的呼吸，因此而凝聚心神後，安靜一下，想想你與小宇宙和大宇宙的關連。一開始，先欣賞你體內的消化、內分泌腺、上皮(皮膚)、肌肉骨骼、神經、循環和免疫系統之間的協調工作。然後，想像一下，形成這些系統的組織和器官如何和諧活動：包括骨骼、腸子、肌肉、胃部、血液、神經、胰臟、肝臟、心臟和腎臟。接下來移到細胞的層次，欣賞這些構成你器官和組織的數十億細胞。然後更進一步，深入分子的層次，想像分子以不同的組合方式構成你的細胞。想像一下，構成你分子的原子如何舞動。然後再把你的欣賞力帶進原子的層次，這兒是由百分之零點零零一的物質，加上百分之九十九點九九九的空間所組成。

所有這些次級系統凝聚起來，造成你的存在。而你本身，是家庭、社會、職業和經濟網路的次系統。在你的腦海中創造一幅影像，看看你在這些網路中所扮演的角色。想想你與資訊流通系統的關連：電纜、人造衛星、光纖網路和電腦矽晶片相輔相成，使你能透過電話、傳眞、電腦、電視、收音機和閱讀素材，與數以百萬計的頭腦互相聯繫。在地緣政治系統的架構下看你自己，你身爲某個城市或鄉鎭的居民、屬於某一國家的某一州、某一省或某一區。然後，再設想你在所處星球的生態系統中所扮演的角色。從太空人的角度來看你居住的行星，把它看成太陽系的一環，某個銀河系的一份子，這個銀河系位於一個不斷擴張又收縮的宇宙中，而宇宙是由百分之零點零零一的物質和百分之九十九點九九九的空間所構成。

關連的冥想

當然，生活中有時候會出現令人抓狂的步調，使得我們失去了與小宇宙和大宇宙的關連。當你要趕一個交稿期限，要跟在小孩的身後清理善後，要想辦法殺出尖峰時刻的車陣——在這些個時候，實在很難想起什麼宇宙的眞理。下列這項簡易的冥想能另闢蹊徑，把關連的體驗帶到你的日常生活。

找一個安靜的地方，坐下來，雙腳平放地上，脊椎打直。閉上眼睛，把注意力放在呼吸上面。留意你呼氣時空氣摩擦鼻孔的感覺，從鼻子徐徐吐氣，感覺空氣往外流。（如果你鼻塞，也可以從口中吐氣。）把注意力集中在你的呼吸，不要做任何改變。安安靜靜坐上一、二十分鐘，只要跟著呼吸。如果你的思緒開始亂跑，立刻體會呼吸的感覺，把思緒帶回來。

對大多數人而言，這種冥想能產生無比的寧靜和祥和。呼吸總是發生在此刻，而我們的憂慮和焦慮通常與過去或未來的憂慮有關。此外，呼吸的循環能使你連上創造的韻律，潮水的漲落，日與夜的交替。你與所有的生物共享你所呼吸的空氣。不管是你所愛的人，你的狗或貓，性格保守傳統或自由開放，都和你呼吸同樣的空氣。一個在中東嘆息的老人，一個在非洲啼哭的新生女嬰，一個在華爾街套房大笑的股票交易員，一個在美國加州海灘大喊大叫的年輕人，一對在狂喜中尖叫的愛侶，一個在印度哭泣的乞丐，都與你呼吸同樣的空氣。

安靜坐著，花二十分鐘冥想你的呼吸流動，這會帶來莫大好處。但二十分鐘並不是隨手可得。所以，無論一天的什麼時刻，只要你一想起，就把注意力集中在呼吸上面。在繁忙的日子中，每天找幾次時間，完全專注於七次呼吸。實在忙不過來時，一天裡至少全神貫注一次完整的呼吸。這些小小的意識綠洲，能幫你與自己，與大自然，與天地萬物都連結起來。

給父母的建議

當你從「家庭動力學」與「身體比喻」的練習中，洞悉了你家的庭模式和系統後，不妨自問：我要如何運用我對家庭日漸清楚的了解，使自己成為更清明，更有愛心的父母？我如何避免把自己成長過程中沒有解決的課題和家庭動力中無意識的遺跡，傳給我的孩子？

此外，「畫龍」和「想像對話」的練習，很容易改編給小孩子玩，這兩個遊戲很能培養孩子的創造力。「一切來源思考法」的練習，對於培養孩子抱持「萬事萬物都與其他一切相關」的看法，特別有價值。

生命的時間長河

史書常會列出重大事件的時間表，依年代記載一個顯赫紀元的起落，或某位偉人的生平。依此法製作一份個人的時間表，是綜觀你個人生活的絕佳工具。把你認爲重要的事件，不管是個人生活或全球事件，全部放進你的生命時間表。

待你勾勒出自己生命的時間表後，嘗試把你的生命過程想像成一條河流，設想這條河流的來源（也許是山上的雪花）。你這一生的目的地是大海。

描述一下，到目前爲止，你生命中的水壩、堤防、漩渦、急流和瀑布各是哪些。與其他的河流和各種形態的水有哪些重大交匯？你的河流有多深？多純淨？它曾經結凍，差一點枯竭或漫過河岸嗎？有多少河水流經地底下？你這條河中充滿了生命，足使岸邊的人賴以維生嗎？檢視你自己生命的進程。達文西寫道：「伸手探向河水，你所接觸的水是剛剛流逝的最後一滴，也是即將來臨的最初一滴，所以它屬於當下。」善加利用你的選擇力量，導引你生命之河的流程和品質。

徹徹底底想清楚

我們很難想像，像達文西這樣的天才在死前會充滿悔恨，可是照凡薩利所說的，達文西對「上帝和人類感到抱歉，留下這麼多未竟之作」。然而，我們的確知道他在絕望之際曾寫道：「告訴我，何曾有任何事完成？」不過，留下許多未竟之作的達文西，臨終時也無法想像自己在身後有如此深遠的影響吧。

達文西是最高段的「觀念人」。雖然他在各方面的實際技巧都無以倫比，他最大的長處卻不在於執行。然而，當他逐漸年老，漸漸意識到不免一死，於是開始注重設立清楚的目標，強調貫徹始終的重要性。他在晚年經常寫下「務要徹徹底底想清楚」，以及「先考慮終點」。他甚至把個人的種種目標畫出來。

你可以藉助一個簡單的字，更有效設定並達到你的目標，使你所有的目標都很「ＳＭＡＲＴ」，也就是「聰明」。

S (Specific)：特定。明確界定你究竟想要達成什麼目標，連細節也要描述清楚。

M (Measurable)：可衡量。決定你自己究竟要如何衡量你的進展，最重要的是，你如何得知自己已經達成目標。

A (Accountability)：全權負責。百分之百投入，爲達成目標全權負責。當你與團隊共同設立目標時，務必把責任的歸屬劃清楚。

R (Realistic and Relevant)：既確實又相關。設定有企圖心而且可以達成的目標。達文西說的：「我們不該渴求不可及的事物。」你的目標應該要切中整體目的和價值。

T (Time Line)：時間表。設立達成目標的明確時間表。

在你展開最後一項練習之前，讓我們先以「徹徹底底想清楚」當作跳板。考慮一下，你希望死後留下什麼。在筆記本上，用你家人、朋友、事業伙伴和鄰居的觀點，寫出你心目中覺得最棒的輓聯。你希望別人最記得你什麼？

爲生命製作一份心智總圖

你手上這本書有一個目的：它希望成爲你的工具，讓你運用，進而讓你把生活過得像一件藝術品。欲實現這個目標，請嘗試以下的練習。

在最後這項練習中，你會從關連的角度來看待生活——你的目標、價值觀、事物的優先順序和目的都包括在內。我們實在太容易沒有想清楚自己要什麼，就糊裡糊塗過了一生。不少人在工作中花費可觀的時間研擬前景、目標和策略，卻極少沈思個

「他發現……上帝存在於光線的絕美，存在於行星和諧的運轉，存在於人體內肌肉和神經精細複雜的排列，存在於難以形容的人類靈魂傑作。」
(布藍利論達文西的靈性)

人的目標，以及各目標與目標之間該如何配合。爲你的生活製作一份心智總圖，有以下優點：

★在紙上寫下你的目標、優先順序和價値觀，將能看出你生命中的事物如何產生關連，或缺乏關連。

★當你釐清生命中的每一件事如何與其他一切相關，就更能克服那些干擾你達成目標和夢想的不協調、衝突和「盲點」。

★把目標和優先順序以關鍵詞和意象表達出來之後，就能同時引發藝術和科學兩方的力量，激勵出創新的展望。

我建議，每天至少用一小時，共花七天來完成這項可能改變你一生的練習。這七天不一定要連貫，但你應該立志在三星期內完成整個練習。建立一個屬於你自己的大師級工作室：只不過你擺的不是畫筆和畫布，而是用彩色奇異筆和大張白紙。工作時播放有意思的音樂，使空氣中充滿你喜愛的香味。

第一日：勾勒出你夢想的大樣

1. 創造屬於你自己的「標記」(impresa)。標記，是文藝復興時期學者和王公貴族的個人「商標」。製作一個屬於你自己的標記。慢慢醞釀，直到內心浮現一個意象。這個標記會成爲你心智總圖的中心意象。

2. 爲你的目標製作一份「隨意」的地圖。在一大張白紙上畫下你的標

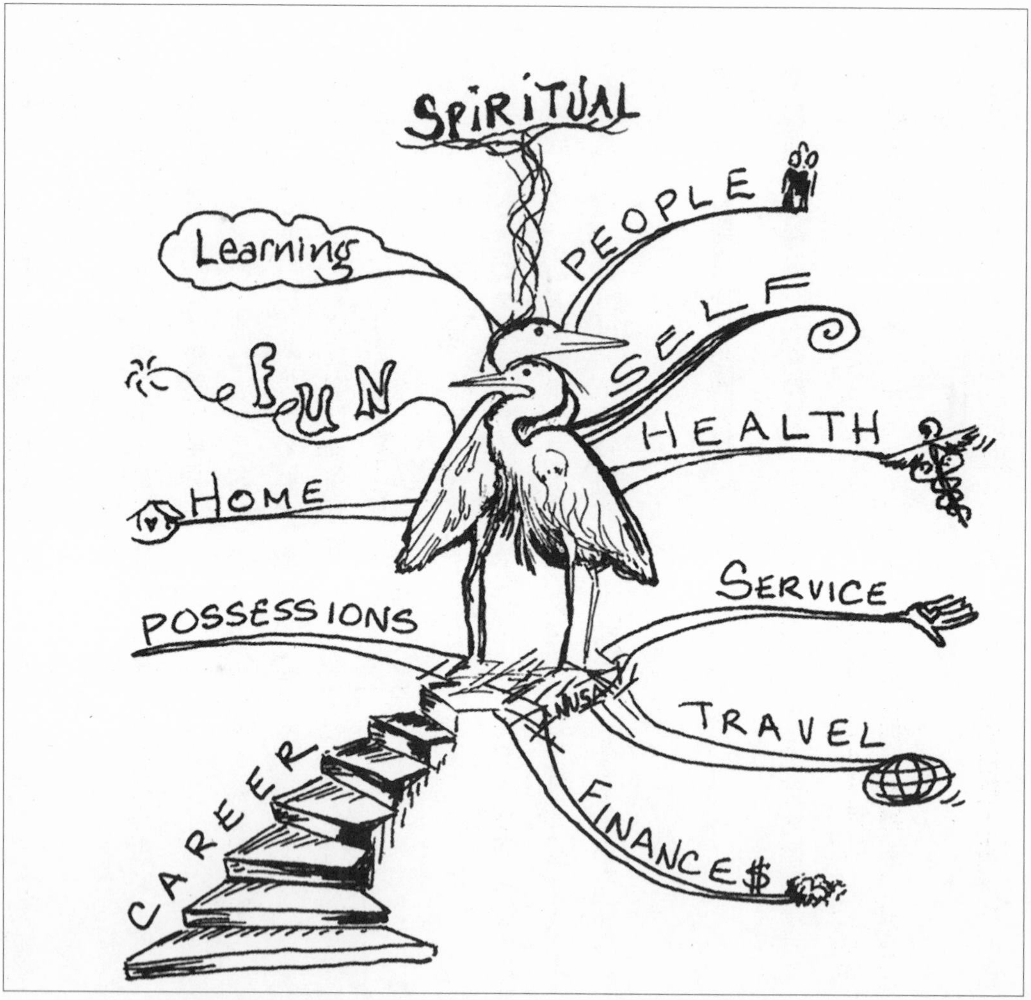
SPIRITUAL
PEOPLE
Learning
SELF
FUN
HEALTH
HOME
SERVICE
POSSESSIONS
TRAVEL
CAREER
FINANCE$

記。從這個中心意象往外放射，在旁支各線條上工整寫出代表你生活各主要領域的關鍵詞，或畫出一個象徵的圖樣，例如：人、事業、財務、住宅、財產、靈性、樂趣、健康、服務、旅遊、學習和自我。(用你喜歡的名詞來表示這些生活領域，你可以增添、刪減或改變上述建議的類別。)把第一份草稿當成你對生命「大樣」的隨意速寫。在每一項領域中自問：「我想要什麼？」

檢視你第一份隨意的草稿，問自己：我已經寫下一切我覺得重要的領域了嗎？如果我能擁有、從事或變成任何其他的人事物，那會是什麼？

第二日：探索你的目標

在另一張白紙中央畫出你的標記。現在，爲你的生命目標做一份更有組織的心智圖，爲每一項主要的生命領域畫出鮮明、多彩的圖像。每一條主支再往外放射，在放射線上工整寫下關鍵詞或畫出其他的意象，以便更詳盡表達每一項分支的目標。深入探索每一項分支：

★**人**：什麼樣的關係對我最重要？我理想的關係具有什麼特質？

★**事業**：什麼是我最終極的事業目標？什麼是我過渡的目標？我理想的工作或事業爲何？

★**財務**：我需要多少錢，才足夠來支持我達成其他的目標和必須優先完成的事物？

★**居家**：我理想的居住環境是什麼？

★**財產**：什麼東西對我是很重要的？

★**靈性**：我希望與造物主有什麼樣的關係？我如何更受恩典感召？
★**健康**：我希望擁有怎樣的體態？什麼樣的能量？
★**樂趣**：能帶給我最大樂趣的是什麼？
★**服務**：我夢想能爲別人做出什麼貢獻？
★**旅遊**：我想要去哪裡？
★**學習**：如果我能學習，我想學什麼？
★**自我**：我想要成爲怎樣的人？想培養什麼樣的特質？

運用你所有的感官，爲每一項領域的目標創造鮮明的意象。你可能希望分別爲某些或所有的生命主要目標製作一份心智圖。把它們組合來，使生命地圖逐漸成形。

第三日：釐清你的核心價値觀

你的目標，就是你對於「我想要什麼」這一問題的反應。你對於自身價値觀的了解，則來自於思考「爲什麼我想要」。檢視你的各項目標，沈思下列問題：我爲什麼想要這個？爲什麼它很重要？實現了這個目標後，會爲我的生活帶來什麼？

問你自己：我想要的東西中，有多少是取決於我所承受的制約——也就是說，父母、飽學之士和宗教領袖等人給我的訊息中，有多少被我轉化成我自己的想法？我想要的東西中，有多少取決於我對於所受制約的反應或反彈？我眞正想要的東西中，有多少是出自於我自己，而不受制約和反應的影響？

當你沈思了含藏在目標之下的更深層動機之後，你的核心價值觀就會逐漸聚焦。這項練習的用意是要強化那個焦點。下列清單，包括代表價值的一些關鍵詞。(請隨時加入你自己的關鍵詞)從頭到尾讀一遍，留意你對每一詞的反應。哪一些最能引起你的共鳴？選出你最重視的十條，依照它們對你的重要性，順序排列。

成就	誠實	好玩	冒險	謙卑	享樂	眞確	幽默
權力	清醒	想像	肯定	美麗	獨立	宗教	慈善
洞見	尊敬	社群	整合	責任	慈悲	正義	保障
競爭	仁慈	敏感	創意	知識	祥和	紀律	領導
靈性	多元	學習	自發	生態	愛情	穩定	卓越
忠誠	地位	興奮	金錢	精巧	表達	自然	教導
家庭	新奇	時間	時尚	秩序	傳統	自由	原創
眞理	友誼	熱情	獲勝	樂趣	愛國	智慧	慷慨
完美	工作	成長					

省思你的十大價值觀。你所重視的價值如何反映你的目標？你生命中有哪些領域最能忠實表達你的價值觀？哪些領域使你遠離你的價值觀？

接下來，爲你的各項核心價值創造一個代表意象或象徵。

第四日：沈思你的目的

有些人似乎生來就有清楚的目的感，例如達文西，他的生活裡總是環繞著對於眞與美的追求。如果你想找出生活目的，關鍵之一是要在腦裡和心中思索著：「什麼是我生命的目的」，你終將會恍然大悟的。在等待答案出現的過程中，嘗試下列練習，可以使你更快有所領悟。

★做一節意識流寫作，討論「什麼不是我的目的」。這會幫你釐清環繞在你目的周圍的「負面空間」是哪些。

★嘗試在二十五個字之內寫出「目的說明書」。只要盡力嘗試就好。以後每一個月重寫一次，一直到有一天，當你一讀到你的這份說明書，就感到全身能量爲之一聚。

★當你的細胞說「就是它」，你就知道你找到了。

第五日：評估目前的現實

回顧你生命中的主要領域，盡可能客觀評估你目前的情勢。若想增加不同的觀點，就從你信賴的某人尋求回饋。問：

★**人**：我現在與別人的關係如何？

★**事業**：我現在的事業狀態如何？

★**財務**：我現在的財務狀況如何？我的資產、負債、收入如何？賺錢的潛力如何？

★**居家**：我現在的居住情況如何？

★**財產**：我現在擁有什麼？

★**靈性**：我與上帝的關係如何？

★**健康**：我現在的體態如何？能量的品質呢？

★**樂趣**：我現在享受生活嗎？

★**服務**：我對於他人的貢獻是什麼？

★**旅遊**：我去過哪些地方？

★**學習**：我在受教育的過程中最大的缺陷在哪裡？

★**自我**：我現在是一個怎麼樣的人？我的優點和缺點各是什麼？

★**價值**：我想要擁有的價值觀，與我目前實際上從行動和行爲上所展現的價值觀，有何差異？

第六日：尋找關連

製作一份新的心智圖，涵括你所有的目標，以及價值與目的的分支。仔細畫出你的標記和其他意象。使它們盡可能生動好看。待你在一大張白紙上呈現出你的生命目標、價值觀和目的之後，把你即將成形的心智圖貼在家裡或辦公室牆上。然後沈思下列問題：

★我的心智圖中，有沒有哪些關鍵字眼一再重複出現？它們提示了某一個主題嗎？

★我的目標，切合我的目的和價值觀嗎？

★我的生活均衡嗎？我的目標、價值觀和目的是否彼此吻合，互相支持？達文西寫道：「比例不僅見諸數字和測量，也見諸聲音、重量、時間和地點，以及一切力量之中。」問你自己：我的事業如何影響我的健康和活力？我的健康和活力程度，如何影響我的關係？

我的關係如何表達我的靈性？我的靈性、財務和財產之間有什麼關係？我的財務如何影響我對學習和旅遊的態度？我在讓別人高興和讓自己高興之間，取得一個平衡嗎？

★我擺在優先位置的事物是什麼？

★我目前工作、人際交往、學習、付出愛、取得休閒，以及分配時間和金錢的方式，有助於實現我的目標嗎？

當你評估了你的目標與目前生活之間的關連和比例之後，請回答下列問題：我所想要的與我目前所有的一切，最大的差距爲何？我是否正走在實現最重要目標的路上？我需要怎樣「調整路線」，好讓生活達成平衡？

而對於生活藝術家來說，最重要的問題莫過於：我願意保持理想與目前現實之間某種具創意的張力嗎？當然，如果你已經有一套塡補鴻溝的策略，就會更容易保持那份張力。

第七日：設立策略以求改變

思考「我想要什麼」，你就爲自己定下了目標和展望。

思考「爲什麼我想要它」，你就釐清了價值觀和目的。

回答「我要如何達到那裡」，你就已擬出了一份策略。

從你心目中理想的輓聯往回推，逐一檢查你的目標，並思考：實現每一項目標各需要哪些資源和投資。

★現在，把你的生命心智總圖轉譯成五年計畫，然後再做出一個一年計畫。

★當你完成一年的心智圖後，回顧你的目標，確認它們眞的都很ＳＭＡＲＴ。然後，爲你生命中的各主要領域各擬定一份聲言。

★現在，定下你這一週和今天要採取的步驟，以求實現每一項目標。

★在一週開始時，以心智圖的方式，花二、三十分鐘製作出一週的目標、事物優先順序和計畫。你可以把每一項生命的主要領域以不同顏色標示。這能使你一眼即知，你是否平衡了各項重要事物。

★檢視你一週計畫的整體心智圖。你的一週是一道均衡的彩虹，還是一團單色？你是否分配了足夠的時間，來培養你與親人朋友的關係、健康、個人及靈性的發展？

★當你通盤審視一週心智圖時，問自己：你所計畫的每一項活動，如何有助於你實現目的和價值觀。

★最後，每天做一份一日計畫的心智圖。如果你能在一天開始時或前一天晚上，騰出十到十五分鐘，製作一份生活目標與優先順序的心智圖，就更能以關連的取向來面對每一天的挑戰。

回顧

從達文西七大原則的角度，審視你自己的生命心智總圖。

好奇：我提出正確的問題嗎？

實證：我如何做到更能從錯誤和經驗中學習？如何培養獨立的思想？

感受：當我年歲一年一年增長，我準備如何磨利感官？

包容：我如何更能保持創意的張力，如何擁抱生命中重大的弔詭？

全腦思考：我在家庭和工作中有沒有平衡藝術與科學？

儀態：我如何培養身體和頭腦的平衡？

關連：上述這些元素互相配合嗎？每件事物如何與萬物產生關連？

快速看一遍前面各章的自我評量表，問一問自己，這次重新回顧，你的答案與初讀本書時是否仍然一樣。

達文西曾寫過一段話，難能可貴地表達了自己的情感，話中充分呼應了柏拉圖的洞穴比喻：「我湧出強烈的渴望，亟欲看盡巧妙的大自然所創造的各種形狀。我在陰影幢幢的峭壁間漫步，來到一處巨大洞穴的入口。我在入口前站了好一會兒，驚愕不已，完全不知道有這樣一個洞穴存在。我彎下身，左手放在膝上，用右手遮眼睛，垂下眼睛。不時變換彎腰的姿勢，想看出裡面有什麼名堂；但洞穴裡漆黑一片，什麼也看不見。我待了一段時間，內心升起兩種東西：恐懼和渴望。恐懼，因爲我怕這個充滿威脅的黑暗洞穴；渴望，因爲我想看出裡面是否有什麼神奇的東西。」

達文西所遺留下來的東西，其精華即在於對智慧的啓發，以及能戰勝恐懼和黑暗的光亮。他對於眞理和美感的不懈追求，使得藝術和科學透過經驗和關照的證婚而結合。他以獨一無二的方式綜合邏輯與想像，理智與浪漫，歷來不知挑戰、激勵又困惑了多少學者。這位有史以來最偉大的科學暨藝術大師，已臻神話的地位。在我們這個講求分門別類，各有專精的時代，達文西就如一把代表整體的烽火，燦爛照耀，讓我們得知，什麼叫做「人類是依著造物主的形象所造」。

達文西對於生活的價值觀和建議

除了在藝術與科學上的成就外，達文西對於倫理、人際關係及靈性追尋等課題也提出不少獨特的觀察和見解。當你整理自己的生命總圖時，不妨參考他的指引。

論物質主義及野心：

「如果你知道，你所期待或打算進行的某些事物一旦被奪走時，你的物質生活會受損，就不要期待這些事物，也不要做它們。」

「被主人照顧著的土地最幸福。」

「對於生活的恩賜和世界的美麗毫不滿足的野心家，將來都會後悔自己浪費了大好生命，也無法擁有世界的美麗和益處。」

「擁有最多的人，最怕失去。」

論倫理和個人責任：

「正義需要力量、遠見及意志力。」

「你的力量，絕不大於那統轄你的力量，也絕不小於那力量。」

「走直路的人很少摔倒。」

「一個人該受褒或被貶，端視他在能力範圍內所從事或避免的行為而定。」

（此話典出自亞里斯多德）

論人際關係：

「向那些善於自治的人求教。」

「人容易忘記別人曾給予的好處，卻對別人的忘恩耿耿於懷。」

「私下勸誡朋友，但公開讚揚他。」

「耐心能使人免受羞辱，一如衣裳能避寒。」

論愛：

「享受的秘訣：喜愛某件事物，是因為愛那事物本身，而不為別的。」

「我們對一件事物的愛意，是來自我們對它的認知；對它的認識愈深，愛意愈濃。」

而達文西很喜歡引用一句古拉丁格言：「愛能征服一切。」

把航道鎖定於一顆星星

不管再怎麼謹慎研擬，也很難完全照計畫進行。然而，最棒的即興創作者不只是「臨時起意」，而是從一個周詳的計畫出發，然後因應情勢的改變而從容調適。

你是自己這艘船的船長，但你無法控制天氣。有時候一帆風順，有時候會遇到暴雨、颶風和海嘯。達文西說：「能把航道鎖定於一顆星星的人，不會迷失。」你也該把你的航道鎖定於一顆星星，並做好心理準備，迎向暴風雨和突來的冰山。

自一九七五年以來，我看到世界各地成千上百的人利用心智圖，釐清並實現了目標。多年來，我不斷修訂，把製作心智圖的方式應用到自己的生活。一九八七年，我三十五歲，勉力製作出我的生命心智圖，特別著重於我希望在四十歲前創造的一切。承蒙命運之神的恩寵，我當時想像的每一件事物，不管是職業、財務和個人生活各方面，幾乎都實現了。我到四十歲時，又重做練習，特別著重在此後五年的發展，我的夢想大致上又實現了。現在我四十五歲，正準備再做一遍整個練習。

當然，製作心智圖並不能帶來奇蹟，保護我免於失望、苦惱、哀傷，這些東西存在於所有人的生活中。我也經歷過暴雨、颶風和偶爾的海嘯。但這個製作新心智圖的過程，有助於讓我航向一顆星星，我希望它也對你有所助益。

第三部
素描課

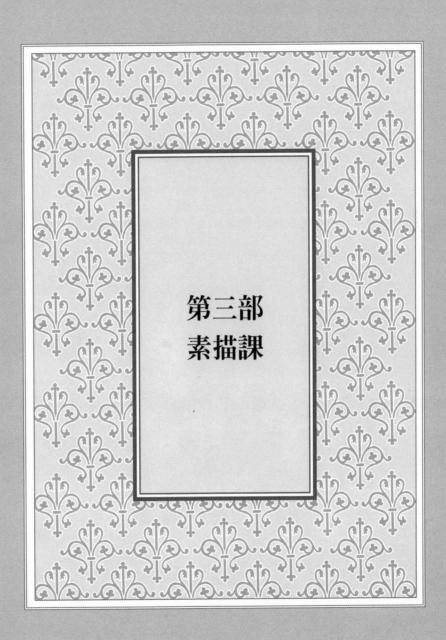

成爲達文西的第一步

素描是繪畫和觀看的基礎，
也是了解創造和創意的關鍵

達文西強調，素描是繪畫和學習觀看的基礎。對於他來說，素描絕不只是插圖，而是了解創造與創意的關鍵。因此，認爲「有爲者亦若是」而想效法達文西的人，學習素描，無異是磨練觀看和創造能力的一帖良方。

許多人不願意嘗試素描，因爲他們自認「沒有藝術天分」。這心情我非常了解，因爲我曾經也是這種人。我讀小學時，一星期有兩節美術課，我恨死它了。我並沒有繪畫天分，而當我把飛機或房子畫得很笨拙，卻被老師批評時，我就畏縮了。我在成長過程中認定：我不會畫畫，我沒有藝術天分，這想法果眞一語成讖。一直要到多年以後，我在自己的文藝復興訓練計畫中開始學素描。結果我發現——我相信你也會發現——素描其實很有趣，它會大幅擴展我們對生活的態度。

下列七項假設爲你打好基礎，使你樂在素描，進展神速：

一、**你會素描**。若你能看，你就會素描。素描很簡單，很自然，也很有趣。它就像其他技巧一樣，需要一份渴望學習並專注的心，時時練習。

二、**素描的目的在於發現**。達文西的素描，反映出他在觀察上所做的嘗試；這些嘗試，目的在於找出事物的本質。當你在嘗試時，請帶著愉快的心情，期待能夠有所發現。

三、**素描是爲了你自己**。達文西並不是爲了別人而素描；他素描全是因爲自己喜歡素描。他大部分的素描都畫在未出版的筆記本，而他有非常多的筆記本，由此看來，他重視素描的過程更甚於作品的完成。當你爲自己學習素描時，你將會發現，你在過程中畫出了更深刻有趣的見解。

四、**你很可能並不眞正認識事物的面貌**。想要發現新東西，你必須願意放下你對舊事物的看法。學素描時的一大障礙，在於我們對事物發展出「看來像什麼」的代表符號。例如，「這很簡單」就是一種符號，代表「我不再好好端詳它，因爲我在腦海中已建立起的認識就夠用了」。

如果你現在花點時間，仔細審視你習慣用來做事的那一隻手的手背，你可能會注意到一些新東西，例如遍布皮膚的小細紋形成小小的不對稱的網絡，或一個小疤或痣，或皮膚下的靜脈分佈，或是你移動手指時這些靜脈如何在指骨四周移動。也許你會看到以前沒注意過的細微顏色變化。現在看看你非慣用的手。能看出兩手有什麼不同嗎？假如我們直接觸動腦袋中的「回答」鍵，而不是像達文西一樣親自觀看，就都會錯失這些。

五、**練習素描時，你應該把心中的「藝術評論家」擺在一邊**。假如你是要考慮該把哪些作品擺在下一次個展，你內在的「藝評家」會派上用場。但對於初學者而言，談批評還言之過早。此外，經驗老道的藝術家知道，在創作過程中務必把批評擺在一邊。當你嘗試以下練習時，不要評斷你自己素描的水準。不要管「好」與「壞」，只管畫。

六、**有人指導會很有用**。你最後一堂美術課是在何時？除非你展露了天分，否則你最後一堂美術課極可能是在你十一、二歲時。你能想像我們用這種方式對待其他的學科嗎？「抱歉，你對於歷史沒什麼天分，所以我們只教你到中世紀爲止。」歷史老師曾這樣說嗎？大部分的素描技巧都很簡單易學，但多少都需要指導。所以，達文西素描課程的材料是這樣的：

「喔，可欽的必然！喔，有力的行動！哪顆頭腦能夠穿透你的天性？哪種語言能夠表達這種神奇？當然，絕對沒有。在此，人類的論述轉向對神聖的沈思。」(達文西談論人眼的奇蹟)

你呢，提供你積極的實驗精神，加上全神貫注、練習和獨特的自我表現方式，而本章會提供按部就班的簡易指引，引導你開發技巧和培養樂趣。

七、**素描是一種學習過程，要教你如何一輩子都以新鮮眼光看事物**。「已成名」的畫家，總是在尋找新鮮感和一顆「初學者的心靈」。如果你已經有好一陣子沒有素描，那麼你內在的「藝術家」就還很年輕、生氣勃勃，尚未疲憊。你的「初學者心靈」會使這項探索更有意思。對自己要有耐心，記住：今天的素描作品，是明天進步的里程碑。

專業用具

你身邊可能已經有不少材料。如果沒有，就跑一趟你家附近的美術用品店，開始準備。請找來下列工具：

紙張

1. 白報紙很適合速寫。
2. 一大本速寫簿，在接下來的練習很管用。愈大愈好。
3. 筆記本。達文西知道靈感隨時可能出現，所以總隨身攜帶空白筆記本。接下來許多練習會帶你來到外面世界。你永遠不知道靈感何時會光臨，但當你做這些練習時，你會發現靈感比較常到來。因此，學學達文西，隨身攜帶筆記本。

素描用具

1. **石墨**（鉛筆粉）：軟硬程度不同的筆蕊，會畫出不同粗細的線條。嘗試三種不同硬度的鉛筆：2B、3B和其它的任一種。三種都試一試，看看哪一種最合你意。

2. **碳精筆**：碳精筆是由石墨或顏料、黏土和水調合成膏狀，壓成條，然後燒烤而成。有四種主要顏色：紅色（四種不同的深淺）、褐色、白色和黑色（軟、中、硬三種程度）。碳精筆在各式紙張上都能揮灑自如。它們能產生豐富的色調和柔和的線條，效果近似於達文西的紅粉筆自畫像。

3. **木炭**：木炭會產生濃厚的黑色線條，可依所需氣氛，渲染出效果。

4. **筆**：從原子筆、自動筆、毛氈筆到各式類似鋼筆的鳥嘴筆。抽樣嘗試：毛氈筆頭的奇異筆，很容易作快筆速寫，又很好玩（但要確定是水溶性）。挑一隻你喜歡的原子筆。然後找一隻有兩種不同筆尖的鋼筆或沾水筆。鳥嘴筆最接近達文西的經驗。（沾水筆需要墨水，可以請教美術用品店的店員。）

5. **畫筆**：通常被視爲進階的工具，但畫筆的流動感有時候實在是難以抗拒的誘惑。所以，準備一、兩隻高品質的畫筆在身邊（以及一些水彩或墨水）。不要忘記，只要能畫出線條，就是自我表達的工具，因此，鏡子上的口紅，埋在沙裡的腳趾，以及天空中的飛機，都算是「專業工具」。

6. **你的最愛**：試試鉛筆、碳精筆、木炭、粉筆、粉蠟筆，或書法用筆。嘗試不同的媒材，找出你的最愛。

擦拭用具及其他

1. **橡皮擦**：一塊白色橡皮擦就綽綽有餘。別用太多。鉛筆尾端的粉紅色橡擦，用來渲染剛硬的線條其實很方便……玩一玩，看看結果如何。

2. **手指**：另一種方便的渲染工具。
3. 一把**直尺**，在畫透視時很有用。
4. 一把**T型角尺**，畫直角時用。

事前準備

首先，要打造一個對大腦有益的環境。達文西的工作室是一個感官的寶庫，充滿音樂、鮮花和芳香。仿照大師的作風，爲你的素描練習找一個寧靜、美麗、光線充足的最佳場所。

以身體和頭腦一起素描

素描其實是一項身心並用的活動。如果你在素描前做一、兩項身體與頭腦的練習，你會學得更快，也更有樂趣。你在儀態那一章所學到的練習，對於準備素描都很有用。要把戲和雙手靈巧的練習，以及「平衡休息狀態」，都能幫助你調整身心，準備素描。談感受那一章的「手掌蓋眼」、「聚焦遠與近」和「柔和眼睛」等練習，以及談關連那一章的「關連冥想」，也都會很有幫助。

此外，嘗試下列的素描暖身運動。注意每一項練習如何「打開」你，讓你以新的眼光看待素描。

暖身運動一：全身的彩虹

你用身體的哪一部分來素描？大多數人都會低頭看手說：「用我的

手。」但那只是冰山的一角。最心滿意足，最有表現力的素描，是全身總動員。你的手和整條手臂連在一起，手臂與軀幹相連，軀幹則由你踩在地上的雙腳支持。若欲喚醒全身上下積極參與素描，嘗試以下練習：

★先用每一根手指畫小圓圈。

★然後轉動手腕畫圓。

★接下來，加入手腕至肘的部分，畫更大的圓圈。

★最後，甩動整個手臂，畫出巨大的圓圈。

★現在，畫出所有這些圓圈，不過這一次要想像，有彩色的線條從地面往上飄動，流過你的軀幹，從你的指尖逸出。讓整個宇宙充滿壯麗的彩虹。

暖身運動二：自我按摩

輕鬆坐著，好好做幾個輕鬆的深呼吸。現在，開始按摩你慣用的那一手。按摩手指、指關節、掌心和手腕，一路按摩到前臂、手肘、上臂，肩膀。探索骨骼、肌肉和肌腱的深層結構。然後對另一隻手如法炮製。最後，輕柔按摩你的臉、頸部和頭皮，特別注意，一定要放掉前額和下巴的緊張。

暖身運動三：塗鴉

誰說第一次一定要萬無一失？是我們自己；我們在腦袋裡這麼說。塗鴉練習能幫助我們拋開身體的成見：

★拿一張白紙，隨手畫出你此刻情緒的形狀、線條和質感。如果你有

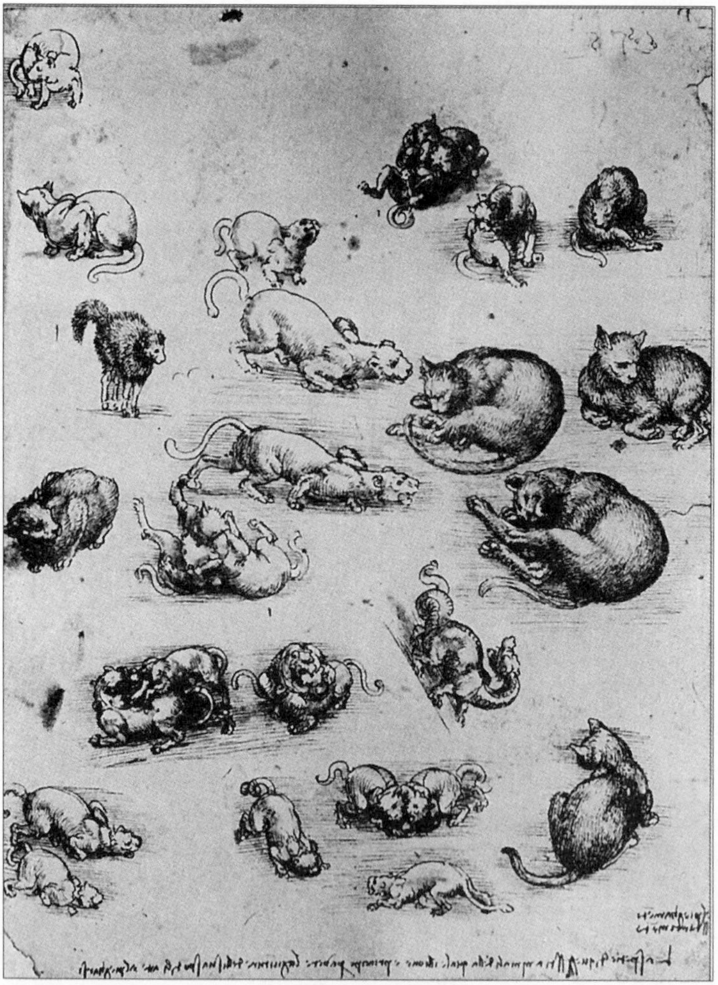

大師筆記本中的速寫

焦慮，就在紙上盡情表達。一直畫，畫到紙張充滿你的焦慮，而你的身體卻已經能放鬆，而且很自在地素描。

★若想進階，就一邊播放你喜愛的音樂，一邊塗鴉。

動手素描

簡單的起點：我們所知的圖案

注視任何一項東西——這本書、掛在你牆上的某樣東西、窗外的某樣事物，任何東西都行。當你注視時，試著找出三角形、圓形、方形、線條、曲線或點。有什麼形狀不能被分解成這些基本的形狀嗎？

有一個讓人開心的秘密，能幫助你欣賞素描在本質上是多麼單純。這秘密是：**你所看到的所有東西，都是由圓圈、三角形、方形、直線、曲線和點組成**（並不一定照這個順序排列）。研究達文西的學者肯普（Martin Kemp）描述達文西的信念：「活生生大自然的有機複雜度，一直到它變動形態的最細微變化，它們的基礎都是幾何主題於自然律之中的無盡交互作用。」

把三角形、圓圈和正方形當成一天的觀察主題。然後再拿線條、曲線和點當成另一天的觀察主題。注意這些形狀在日常生活中如何呈現：在人們的臉上、建築物、家具、藝術和大自然。在筆記本記下你的觀察。

同時，拿一張紙，迅速畫出這些形狀：

所有的素描，都是這些簡單核心元素的不同組合。

注意一下，看看它們多麼「不完美」……這不是機械的素描課，
所以我們的形狀非常有機。

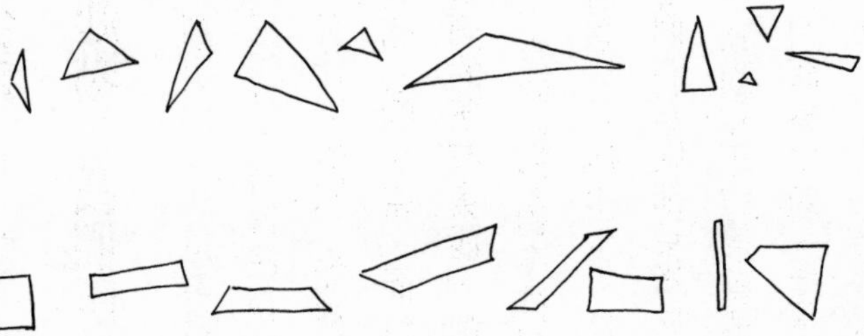

凡有四的角的形狀，就是一個「方形」。

新的觀看之道

我們以爲自己知道如何觀看，但是就如達文西所言：「人們視而不見。」爲素描而觀看，意指端詳事物時，要當作彷彿從來沒看過它們。在作畫時，不要再仰賴認知和客觀化，例如「那是一顆蘋果」，一位藝術家必須把「蘋果」這概念放在一邊，以更本質的方式觀看物體，如它的形狀、色調和質地。

這裡有幾項練習供你探索這種觀看的方法：

觀看練習一：顚倒式素描

顚倒式素描能使我們擺脫習慣的看法。審視下面的線條和形狀。在一張白紙上，照著你看到的線條和形狀依樣畫葫蘆。

1. 在素描時，不斷想著你不知道這是什麼。
2. 在沒有畫完之前，不要把本子倒過來。
3. 你還沒有畫完。
4. 休息一下，伸展身體，以「柔和」的眼睛環顧四周。
5. 把所見一切畫下來之後，再把紙張倒過來，看看你畫了什麼。

觀看練習二：換手素描

現在，以你平常不慣用的手，回頭再素描一次達文西的自畫像。注意：當你把形狀上下顛倒，以及(或)用「另一隻手」素描時，對於你的感知、覺察和敏感度有什麼影響。如果這些練習讓你有一點不熟悉的奇異感覺，那麼你就踏進了藝術家的世界。

從第一次到第二次素描，你注意到什麼變化？

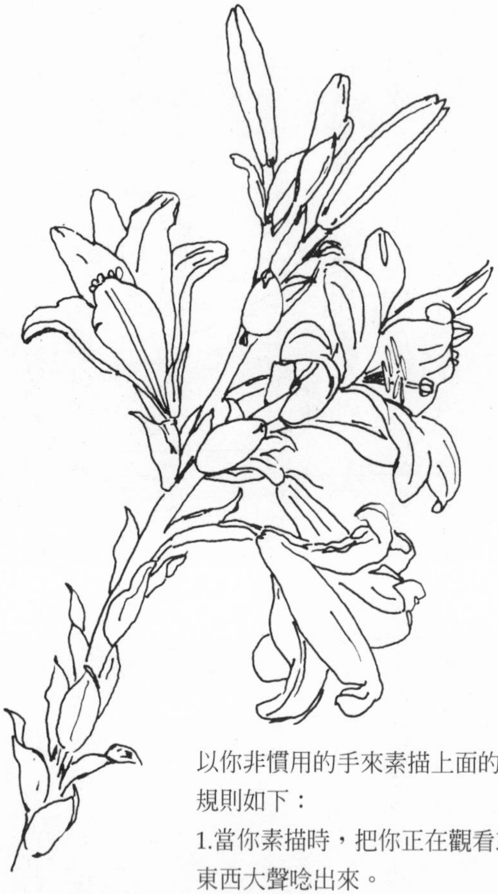

以你非慣用的手來素描上面的圖案。

規則如下：

1.當你素描時，把你正在觀看或素描的東西大聲唸出來。

2.不要換手。

觀看練習三：明與暗

達文西對於藝術發展的一大貢獻，就在於他發展出明暗對比，利用光線與黑暗的對比，來製造戲劇性的效果。

在文藝復興時代之前，藝術家通常只強調光線，把陰影排除在外。對於剛起步的藝術家來說，這是一個常犯的錯誤。在藝術和生活中，都必須勇敢鑽進深一層的陰影中。一個形體，正是從它豐富的陰影和它周圍的黑暗脫穎而出，顯露形狀、面向和深度。達文西強調：「陰影在某些定點上有其疆界。對此一無所知的人，所創造出的作品缺乏浮雕效果，而浮雕效果正是繪畫的高峰和靈魂。」

以下這些簡單的練習，能讓你更懂得欣賞日常生活中的「明暗對比」。

★**尋找陰影**。把陰影當成一天的主題。注意看陰影的質地如何隨著陽光的移動而改變。在筆記本記下你的觀察。

★**獲得明與暗的印象**。在公園中散步，或坐在你最喜歡的咖啡館內注視人來人往。當你在觀察周遭景象的變換時，瞇起眼睛，使一切事物變成「印象派」。立求純粹由明暗的角度來看世界，把你的眼睛當作是拍攝黑白電影的攝影機。

觀察明暗的秘訣在於尋找黑暗。當你問「黑暗在哪裡」時，光線就會凸顯出來。只需要一點點練習，你就會習慣以這種方法看世界。

觀看練習四：萬花筒般的形狀

和做明暗練習時一樣，先找一處有趣的環境，瞇起眼睛。但這一次問自己：紅色在這裡是什麼形狀？藍色呢？綠色呢？諸如此類。

當你尋找顏色與形狀時，你周圍的世界就會產生如同雕塑、五彩繽紛、萬花筒般千變萬化的特質。好好享受吧。

觀看練習五：藝術家的畫框

宇宙似乎浩瀚無窮，然而紙張卻有限，有時候這似乎是限制。但是身爲藝術家，你要學會如何善用紙張的界限。

把兩隻手的大拇指和食指比成九十度的直角，組成一個想像的畫框。當你偵察到可作爲觀察和素描對象的「物體」時，練習從你雙手所組成的「畫框」注視。

嘗試把畫框變大或變小，然後上、下、左、右移動。好好享受一下你選擇焦點及框住焦點的權力。

觀看練習六：剪裁及攫取注意力

達文西巧妙地利用曖昧不明，把我們的注意力緊緊吸引到他的主題。後來，塞尚讓非主題的事物變得模糊不明，創造出他的「磁化」過程。這可能是藝術家最偉大的力量：選擇一個焦點，然後剪裁其他的一切，使它們後退、朦朧或退居次要。

「框住」一個主題，這一次不用你的手。當你這麼做時，讓非關主題的一切逐漸褪去，讓周遭所有的顏色和形體變成「靜音狀態」。把焦點以外的一切，披上一層薄紗。

讓你的眼睛柔和下來。當你使周遭的一切變模糊，你就與主題產生一層新的親密關係。

輪廓：由外往內的素描

輪廓，就是你的主題的外在形狀或「地形」。

輪廓練習一：接觸-素描（touch-drawing）

檢視你附近的一個物體。例如一株植物、一本書、一個杯子或一張椅子。接下來：

1. 先用食指勾勒出物體的表面形狀。
2. 然後，把手臂伸出去，移動手指，想像你正在接觸的物體的表面。
3. 接下來，完全不用眞正的手指，而把你的凝視想像成你的手指，而你的手指凝視正在接觸物體的外緣。這不只是外形而已，因爲物體是立體的，所以你其實是用接觸-凝視來畫出主題的表面。（這個「外緣」就是輪廓。）
4. 現在，你準備好做接觸-素描了。用你手指的「凝視」追隨物體的外緣，但這一次，紙上的筆尖是你想像的接觸凝視的「延伸」。

規則如下：

1. 當你用手指的「凝視」來描繪你的主題時，把眼睛定在它上面。

2. 沿著輪廓，非常緩慢地移動你的凝視。

3. 鉛筆在紙上移動的速度，與眼睛沿著輪廓移動的速度一致。

4. 只考慮你此刻所畫的那一點，不要想到你素描的過去或未來。

5. 培養你的信念，相信你眞的用凝視在碰觸物體。

6. 一直到畫完輪廓，才能抬起鉛筆或檢視畫面。

> 達文西建議，偶爾停頓一下，從一段距離之外注視你的素描和主題。從鏡子中審視你的作品，並且從不同的角度加以端詳。留意你感知上的改變，然後再回來素描。

你所完成的素描可能看起來不像實物，卻能把隱藏的質感和深度呈現出來。這項練習，是你一項運動感十足的輪廓入門的功課。

輪廓練習二：你的手呢？

稍早我們談過「對某事易如反掌」這個觀念。然後我們也探索了手。所以，現在你眞的認識你的手了吧，對不對？很好。現在，不要看你的手，閉上眼睛，在腦海中重新創造手的樣子。然後，拿一張新的紙，從記憶中畫出你手的輪廓。

畫完後，比較你的圖畫與實體。避免用好或壞的字眼。只要問：兩者有多麼相似？多麼不同？

輪廓練習三：接觸-素描你的手

現在，觀察你非慣用的手。想像你緩慢、探索的凝視就是你的接觸。

接觸-素描你的手。記住，你的接觸-素描是一個三度空間的繪製過程（不只是外形而已)。而且不要被陰影誤導;當你「接觸」你的主題,不管它是在光線下或陰影中,你所接觸的感覺應該都一樣。遵循「輪廓練習一」所提到的規則。

輪廓練習四:手的輪廓

現在,你可以開始爲你的手畫一張輪廓素描了。這就像接觸-素描一樣,只不過這一次你會來回注視主題和紙張,筆尖也會離開紙面。

現在,爲你最初用來接觸-素描的主題,畫一張輪廓素描。

素描動作

達文西探究自然的深處時,他看到萬事萬物無時無刻不在改變和移動。他的素描具有一種內在的動力,表達出這種運動的根本特質,即使物體似乎靜止不動。

前面大部分的練習,都要求你採取緩慢、深思、冥想的手法。接下來,我們將會轉向更快,更有動感的手法。

在藝術家筆下,電話響時的樣子

運動練習一：墜落的物體

★觀察物體墜落時的「基本運動」。放手丟下衛生紙、絲巾、餐巾、樹葉或羽毛，看著它們墜落。最理想的情況是在瀑布旁邊坐幾小時，或放水準備沐浴，看著水從水龍頭汩汩流出。把「墜落的物體」當成一天的主題。對墜落物體找出至少三個新觀察。把心得記在筆記本上。

★然後素描一個墜落物體的運動「軌跡」。想像你在體內感覺這些軌跡。達文西提出如下建議：「在一張紙板上剪出不同的形狀，從陽台的頂端把它們拋向空中；然後畫下每一個剪影在墜落過程各階段的運動。」藝術家杜象(Marcel Duchamp)的畫作〈裸女下樓〉，靈感就是來自這種達文西式的觀看練習。

運動練習二：靜止的動作

放手塗抹，素描一個靜物的本質，例如一個蝴蝶結、一道布幔、一隻打瞌睡的狗，或一隻舊鞋。

運動練習三：人們的動作

在公共場所找一個好地點，例如火車站或飛機場都很理想，在這兒觀察人們如何行動。練習下面這項達文西的建議：「敏銳觀察行動中的形體……迅速記下主要的線條：也就是說，畫一個圓圈代表頭，直線或彎曲線條代表手臂、腳或軀幹。」

一個正在說故事的作
家，動作版。

行動中的人

描影和型塑：由內往外的實質

在紙上畫出的一個記號，是一個兩度空間的物體。藝術家的挑戰，就是把兩度空間變成三度空間或更多。描影和型塑 (massing) 正是其中關鍵。

描影練習一：球體上的光線

在紙上畫幾個圓圈，嘗試從不同的角度畫出光線和陰影：

描影練習二：陽光下的蘋果

這項練習要用到一個蘋果。改用其他的基本形狀也可以。

要使一個物體表達「眞實的質感」，陰影與光線的關係必須合理。還記得你在明暗的觀看練習中，如何瞇起眼睛分辨明與暗的細微差異嗎？現在，是把這份認識應用到蘋果的時候了。

把一個蘋果擺在一處單純的表面。(可以是單色的盤子，一張桌子、一塊布等任何不會使人分心的表面。) 現在，來回注視主題和紙張，爲盤子上的蘋果勾勒出形狀輪廓。

(你會發現，同一顆蘋果，在不同的角度、不同的光線下，看起來絕對不一樣。所以並沒有一個練習重複做兩次這回事。)

現在看看什麼是主要的光源，它在哪裡。(有時候光源不只一個，那就選擇最主要的光源。如果可能，就把其他的光源關掉。) 再一次瞇起眼睛，分辨蘋果上的明暗。找到了嗎？確認黑暗 (陰影) 正好與你的光源相對。如果不是，就再看一次。

在你的紙上，用一個小太陽標示出光線的來源。用一隻軟性鉛筆爲蘋果的黑暗部分畫上陰影。描影是一個添加的過程，所以，要學達文西，薄薄的，一層一層畫。

在描影時，不斷瞇起眼睛找出明暗。這能幫你釐清陰影到底有多暗。

描影練習四：明度表

在素描上，明度的英文叫 "value"，這並不是指這個作品可以在拍賣會上賺多少錢；明度指的是陰影的深淺。

在你的紙張底端，做一個概略的明度表。

描影練習五：球體的明度

回到你對球體所做的描影素描。回顧你的明度表，瞇起眼睛注視你的球體和明度表，留意你的描影如何相應於最亮、次亮、中等及最暗的明度。舉例來說，在下面的描影物體上，不同「程度」的黑暗可以粗分成上述這四種明度。這項練習，能開發你分辨不同明度的能力，以及把陰影簡化成幾類的能力。以後你可以增加分得更細的明度變化。

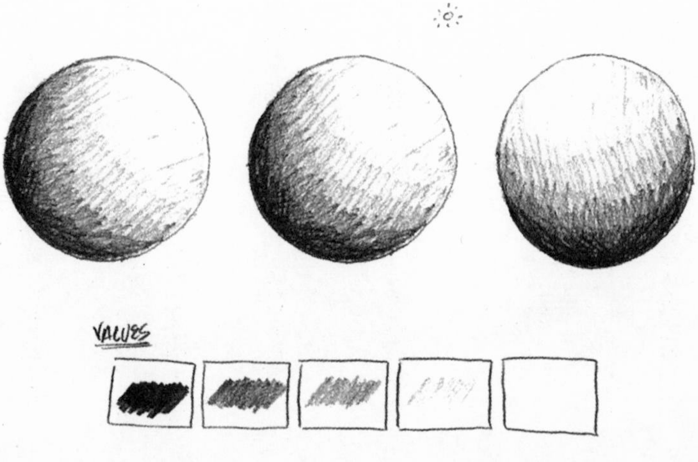

描影練習六：更多水果

找幾個蘋果和梨子。(光滑的質感能使你專心畫出陰影，而非停留在表面的紋理。)把它們排在盤子上。判斷一下光線從何方來，在紙張邊緣用一顆小太陽標示。檢視水果大致的形狀。有沒有重疊？當你瞇起眼睛看，哪一個水果最顯目？不同明度的形狀如何？

現在，「框起」你的圖畫。然後，以輪廓和描影畫出眼前的靜物。(記得要偶爾休息一下，從遠處審視你的作品。)

以型塑表現你的力量

你剛剛學到的描影技巧非常有效，但若要由內往外傳達物體的飽滿，就必須加上一項創造深度的特殊秘密。這個創造深度的秘訣稱爲「型塑」，也被稱爲「塑造」。型塑，是傳達「體積」感的方法之一。少了這項功夫，物體看起來就像塗化妝品一樣「穿上」它們的深度，而不是具有實質的物體。

型塑練習一：一顆鮮紅的蘋果

若想盡可能從這項練習中獲益，就假裝你是個生平第一次發現紅蠟筆的四歲小孩。

找一顆鮮紅的蘋果，把它放在一個距離適中，光線又充足的地方，想像一下，你在想像中的墨水池蓄積那種紅色……讓它灌注這個顏色，直到這個紅色似乎飽滿欲滴，充滿生命力。找一隻紅色奇異筆或紅蠟筆，在你的紙上畫一個紅點。

把這顆蘋果想成一個活生生的東西，你正在以紅色找尋它的果心。現在，開始用顏色從內往外「填滿」這顆蘋果。把最豔紅的部分塗得很紅很紅，對於似乎不「包含」那麼多紅色的外圍部分，也如實呈現。這項練習，是對於型塑的基本體驗。

型塑練習二：雕塑

在這項練習中，我們要找一種雕刻家用黏土塑造模型的感覺。想像你是一位雕刻家，已經拿了相當充分的黏土準備雕塑你的主題。現在，把黏土壓進形體中空的部分，並型塑這個形體的曲線，使雕塑逐漸成形。

選一個主題，最好是活物（例如一條狗、一隻貓、丈夫、妻子、孩子或朋友）。用一隻黑色蠟筆的平頭部分畫出你的主題（我們前面的練習是用筆尖或尾端）。

在形體凹進去的地方，把蠟筆更使勁壓在紙張上（產生更深的陰影）；在形體凸出、比較接近你的地方，讓蠟筆輕輕接觸紙張，如蜻蜓點水。想像你正在「型塑」這張素描。

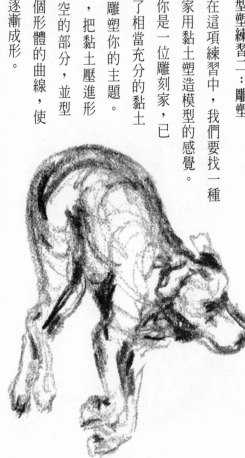

型塑練習三：蘋果的解剖

這是進階的達文西水果實驗，目的是要以科學方式告訴我們，蘋果的核心是什麼，這團塊如何構造，形成蘋果的形狀。

找三顆鮮豔熟透的蘋果。拿起每一顆蘋果，在手心上轉動，感覺它的重量、質感和平衡。用彷彿是透過放大鏡似的方式仔細觀察它的顏色。注意表面的紋理。每顆蘋果有什麼不同？把你的觀察記在筆記本上。然後注意每一個輪廓的弧形。注意是哪些細微的變化使這顆蘋果與眾不同，腦中不要是那個一想到「蘋果」就會自動浮現的蘋果樣子。

既然你已經親近了你的蘋果，我們就要準備解剖了。現在該是時候剖開（亦即「切片」）蘋果，以便檢查內在的結構。把一顆蘋果橫切，一顆直切，第三顆則從對角線斜切，以獲得三種不同的視點。

接下來，把蘋果切片排在盤子上。把盤子擺在一個表面，準備素描這個「果心」研究。注意光線的來源。瞇起眼睛衡量明度。注意蘋果的表面如何創造出不同的「平面」反射光線。現在，你準備好要畫果心靜物了。

完成了果心靜物素描後，畫一整顆蘋果。讓素描反映出你對於蘋果由內到外的了解。

透視法

描影和型塑能建立深度和面向，而透視法能使它們各就各位。

透視練習一：遠方的地平線

達文西投注了許多時間觀察遠方的地平線。他注意到：

★「在大小相同的物體當中，離眼睛最遠的顯得最小。」

★「幾個大小相同，距離也相等的物體，受到最多光線照射的物體，看起來最近也最大。」

★「一個深色的物體與眼睛之間的明亮大氣愈多，看起來就愈藍，藍得像天空的顏色。」

在達文西之前，背景與前景的物體常被畫成相近的尺寸、明度和顏色。在你展開透視的探索時，先研究地平線，然後再一點一點靠近。把透視當成一天的主題，記下你的觀察。

透視練習二：重疊

哪一個最先？在前面的那個。一個物體若疊上另一個物體，就會看起來在前面。這項原則太基本了，我們反而容易忽略。這項簡單的觀察，使視覺上對於物體關係的溝通變得一清二楚。例如，下頁的四個構圖是由四個簡單勾勒的盒子組成。它們可以產生各種不同的關係位置。然而，當你描繪盒子間不同的重疊方式時，有些會好像往後退，有些像是往前移。

先素描其中一個盒子。再素描第二個盒子（把落在第一個盒子「後面」的線條省略掉。）然後再以同樣方式素描第三個、第四個盒子。

接下來，在每一幅的構圖中把不同的盒子擺在最前面。注意，重疊會決定其大小。甚至不管一個盒子是最小還是最大，只要根據它的關係位置，就可能看起來比較近或比較遠。

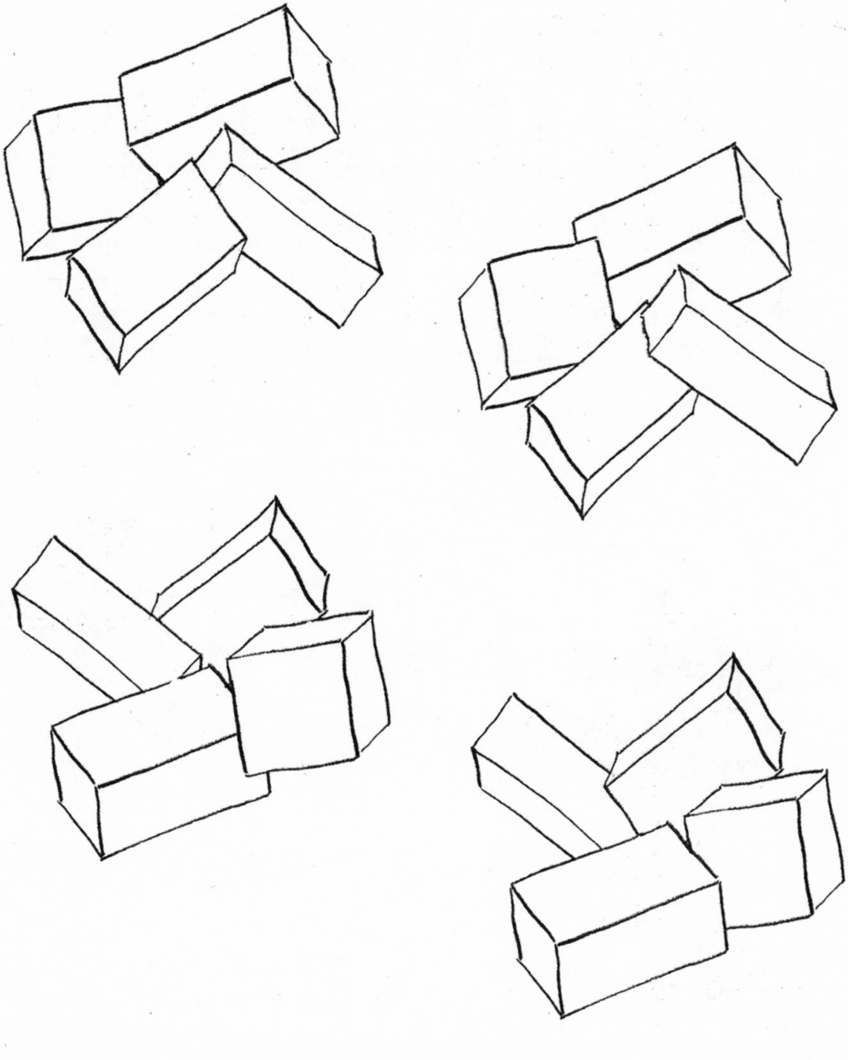

透視練習三：我的畫紙介於我和主題之間

一旦你「框出」你的主題，想要不斷保持同樣的透視可能會有點傷腦筋，特別因爲你眞正作畫的表面可能是平放在桌面上的，或斜放在畫架上。忘掉你的畫紙或畫布擺在哪裡。永遠想像你的畫紙或畫布垂直架在你和你要素描的主題之間。

想像你實際上是透過畫紙或畫布觀看，然後把主題如實描繪出來。因此，當你素描時，記得：一定要回到那面介於你與主題之間的想像中的畫紙或畫布。

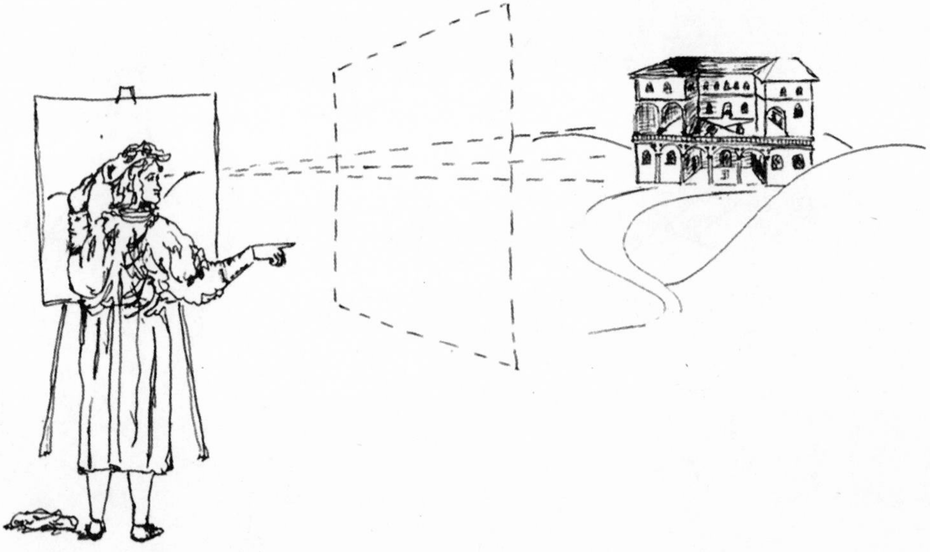

透視練習四：小與遠……大與近

當你從遠方看人時，你會注意到，他們的尺寸變得非常渺小。我們會自動以這種尺寸變化來測量距離。在重疊的練習中我們學到，相關的位置能傳達許多資訊。一旦我們知道了物體的排列次序後，尺寸就成爲下一個最能提供情報的因素。例如，在下面的圖畫中，當樹變小時會怎麼樣？

在後面練習七的幾張畫中，由點組成的線出現在牆柱之間，而你會對尺寸和空間的變化有一份直覺的「感覺」。

接下來的練習，將會介紹透視法的核心：水平線（亦即你的眼睛高度）和消失點。

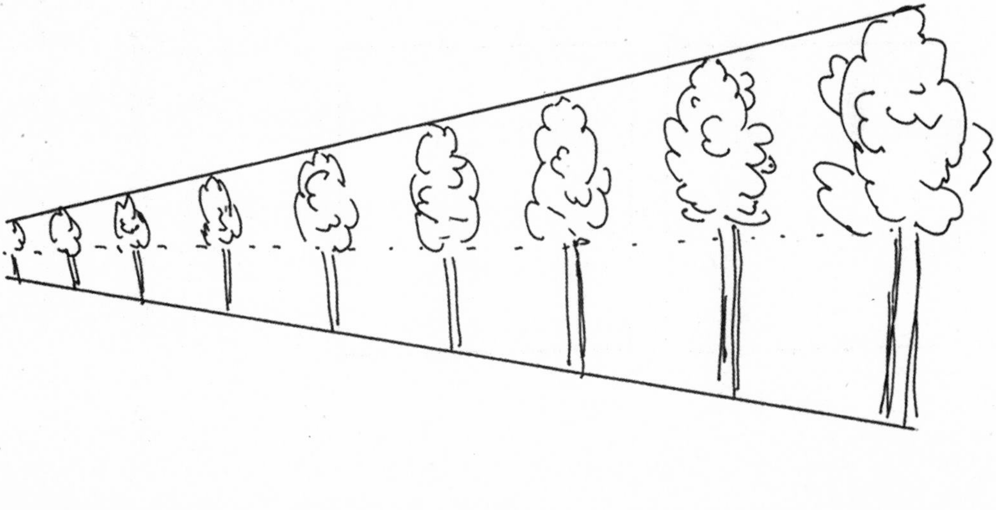

透視練習五：水平，眼睛高度

利用直尺，在紙上畫一條水平線，把它標示爲「眼睛高度」。嘗試在紙上畫出不同的眼睛高度。

定出眼睛高度是非常重要的，因爲當素描愈來愈複雜，眼睛高度可能會被山脈、建築物或樹木擋住，然而，畫中的一切都是相應於眼睛的高度而作。

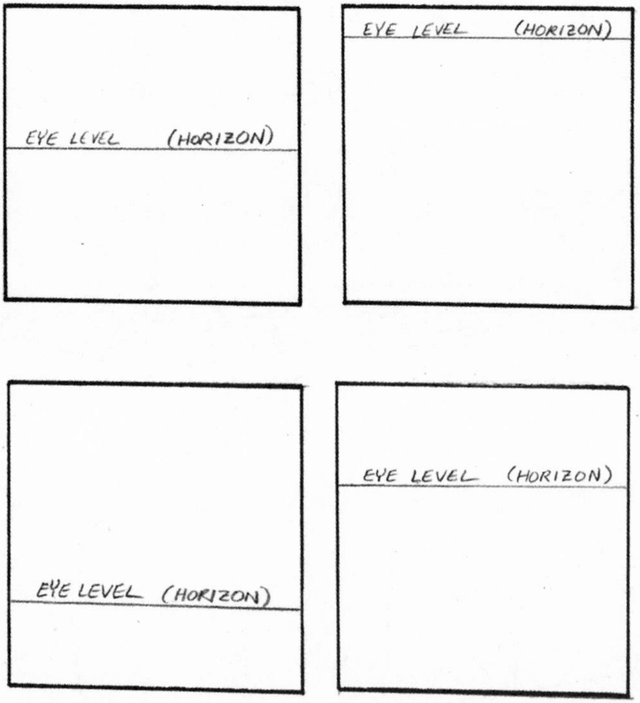

透視練習六：消失點

現在，回到你的眼睛高度，拿一隻碳精筆在紙張中央畫一個點，把它標示爲「消失點」，即ＶＰ (vanishing point)。

從那個點往紙張兩個底端各畫一條直線。你會注意到，這圖形就像一條寬闊的大馬路。注意不同的眼睛高度所造成的對馬路的不同印象。

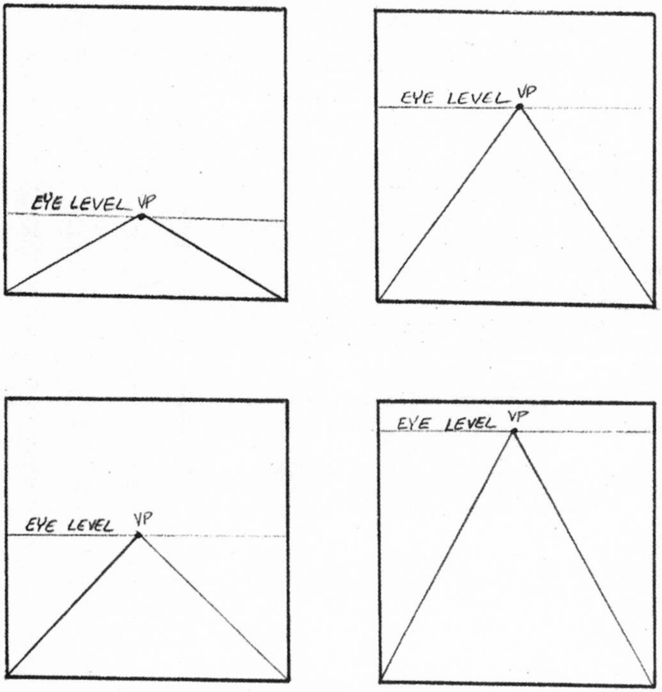

透視練習七：透視的正視

以直尺輕輕點出一條線。畫出一個消失點。接著，分別畫一個三角形、方形和圓形。一面想著消失點，一面把三角形、方形和圓形往消失點的方向變成立體。

往後退一步，看看你的圖形是否「合理」。

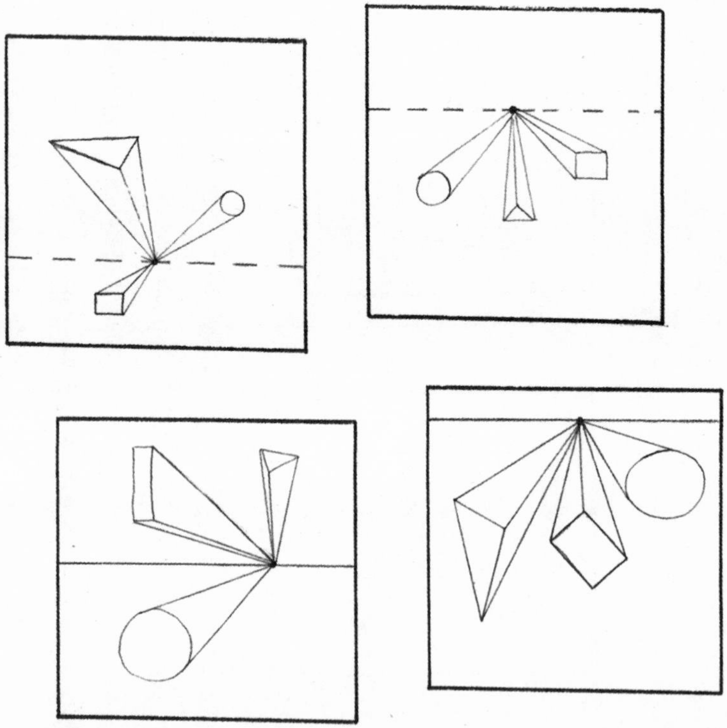

在你最好的例圖中，選一個光源，用一個小太陽標示出來。花一分鐘「感覺」光線從哪一個方向來，把你自己當成那個即將被你描影的物體。拿一隻軟性鉛筆，把這些立體形狀中遠離光線的部分塗上陰影（記得要以淡淡的層次塗上陰影）。

當你對上述的練習駕輕就熟之後，可能會希望以其他的形狀變化來做練習和實驗。

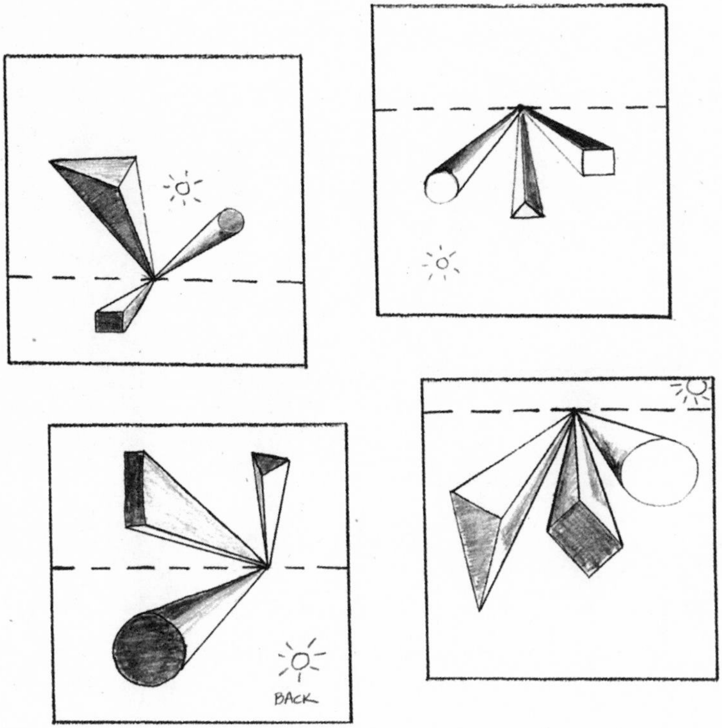

透視練習八：一條有趣的街道

同樣的，拿一把直尺畫一條水平線。標出消失點。從消失點往四個角落各畫一條線。現在，由上往下，沿著你剛剛展開的街道，畫出一排簡單的樹木。

在街道的另一端，則仿照前述的立體三角形、方形和圓形練習，畫出兩、三棟「方形」的建築物。記得，所有的垂直線（上與下）都必須保持平行。同時也注意，應該有一條想像的屋頂線通往消失點，讓它做爲你調降尺寸的指引。

透視練習九：風景

練習注視一片風景，加深你對透視的欣賞。嘗試在你的筆記本速寫。

默記素描

默記素描練習一：臉部記憶之一，你自己

憑著記憶，不看鏡子，素描你自己的臉。簽名，寫上日期。微笑。

默記素描練習二：臉部記憶之二，一位朋友

想一想你親近的某人。在你的腦海中浮現那個人的臉，像藝術家一樣觀察這人的臉。注意基本的形狀及五官的關係。哪一項特徵最顯著？你在哪裡看到對稱和不對稱？

想一想輪廓。臉頰是否突出？是否猛然凹陷下去？眼睛是否深陷？臉上的凸與凹各爲何？想像你用頭腦的凝視接觸它，並追隨臉上的輪廓。記得要保持你的頭腦凝視在整張臉上流轉，不要陷在某一特徵裡面。

現在，憑著記憶素描這張臉。

接下來，找機會研究朋友的臉。把你記憶中所遺漏的地方記錄下來。每一張記憶素描，都會使你接下來的觀察更豐富也更細膩。

默記素描練習三：鼻子的研究

達文西曾經在「懂得觀看」中提出下面這項練習：「先默記不同的頭顱、眼睛、鼻子、嘴巴、下巴、喉嚨，以及頸子和肩膀。以鼻子爲例，鼻子有十種類型：直挺、蒜頭鼻、凹陷、中間以上突出或以下突出，鷹鉤鼻、正常、如猴子般、圓形，以及凸起。這些區別對於側影很有用。如果從正面看，鼻子可以分成十二種類型：中間厚、中間薄、鼻尖寬、底部窄、鼻尖窄、底部寬、鼻孔寬或窄、高或低、鼻孔被鼻尖掩蓋或露出來。你也可以在其他的臉上特徵當中找到各種變化，你應該從大自然之中研究這些事物，把它們牢牢記住。」

學達文西，把臉當成一天的主題。然後在隔天把鼻子當成主題。從側面和正面速寫不同的類型。然後對眼睛、嘴巴等做同樣的練習。

達文西所做的側寫研究

默記練習四：臉的研究

研究了臉龐和五官一陣子之後，嘗試研究一位朋友的臉，最好是你先前憑記憶畫臉的那位朋友。嘗試下列步驟：

注視你朋友的臉，當作你是第一次看他。

從幾何學的角度審視他的臉。尋找三角形、圓形和方形。留意線條、曲線和點。

如果你的朋友許可，用你的指尖輕輕摩挲他的臉，探索它的輪廓和質地。

然後，往後退一步，慢慢接觸素描他的臉。

接下來研究陰影和明暗。以你觀察到的明度做一次速寫。

現在，拿一隻軟性鉛筆，爲你朋友的臉做一個快速而抽象的「雕刻」素描。把你看到的深度和豐富畫出來。

進入倒數，用你非慣用的手來速寫你朋友的臉。

最後，把你從臉部研究練習所學到的一切，組合起來，畫一張素描。

默記素描練習五：自我研究

應用練習四的所有步驟，在鏡子中研究你自己可愛的臉蛋。

「如果你想牢牢記住你所學到的東西，請遵循這個方法：當你素描同一件東西，畫了很多遍，幾乎可以默記於心後，就嘗試放開模型來畫：但是也把模型描畫在一片薄而光滑的玻璃上，把它疊在你沒有參照模型而畫的素描上面。仔細觀察：這片描畫與你的素描有哪裡不完全契合，你在哪裡犯了錯。然後，牢記錯處，避免重蹈覆轍。甚至回到你的模型，臨摹你屢次犯錯的地方，以便把它牢牢刻在心版上。」(達文西語)

結語

給初學者的達文西素描課，用意在於激發你對於「觀看」這一門藝術產生一輩子的愛戀。以大師之風所做的素描，就是用你的眼睛與世界溫存。仔細玩味色彩的誘惑，團塊的飽滿性感，明與暗的羅曼史。練習、實驗、屈服、呼吸，好好享受。在你所做的每一張畫上都要簽名、寫上日期，好好保存，這樣你會從你與素描的關係中獲益匪淺。你的素描會形成一份迷人的紀錄，顯示你對世界的視野不斷演進的過程。

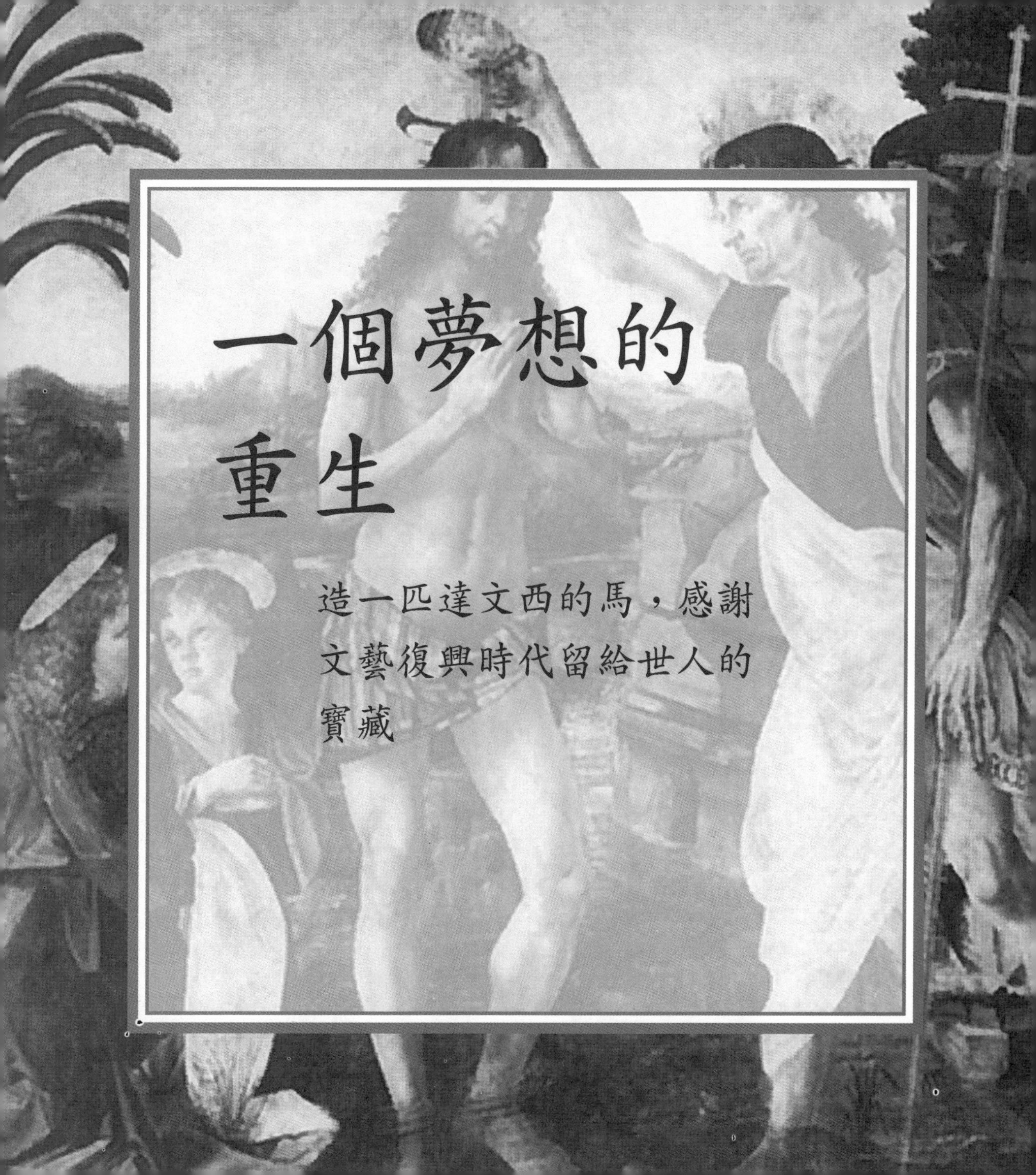

一個夢想的重生

造一匹達文西的馬，感謝文藝復興時代留給世人的寶藏一九七七年，《國家地理雜誌》刊登了一篇文章，標題是〈從來不存在的馬〉。這篇文章描述達文西對於斯佛札騎馬塑像的構想，也談到他的模型於一四九九年被毀的故事。一位名叫丹特（Charles Dent）的飛行員暨藝術收藏家，讀到這篇文章後，編織了一個夢想：造一匹達文西的馬，把它送給義大利人，感謝文藝復興時代留給世人的寶藏。

丹特組織了一支夢幻隊伍，延攬了專攻文藝復興的學者、雕刻家、冶金學家，以及個人和公司的捐助者，準備使夢想成眞。他自掏腰包，甚至變賣若干個人的藝術收藏，以此募款，好讓「馬兒有草吃」——丹特喜歡這麼說。當這項活動的氣勢旺起來之後，吸引了全球媒體的注意。到了一九九二年八月，泰利斯藝術鑄造廠（Tallix Art Foundry）建造了一個實物尺寸的模型。諷刺的是，當這馬模型已完成，廣受讚美，但還未鑄造時，丹特卻與世長辭了；正好與當年達文西那匹被弓箭手摧毀的馬處於同一個製造階段。不過，在丹特去世之前，一群朋友和支持者都向他擔保，他們一定會完成這項計畫。

與丹特並肩逐夢的夢想家，透過他在一九八二成立的非營利組織「達文西之馬有限公司」，簡稱爲ＬＤＶＨＩ，一直使這匹馬活得好好的。這匹馬預計在一九九九年九月十日，亦即原達文西模型被摧毀整整五百年之後，於米蘭隆重揭幕。以下這段ＬＤＶＨＩ的宣言道盡一切：

> 本企畫的目標，在於尊崇達文西的天才，並根據他的素描，建造一匹碩大的馬，向他致敬。同時，這尊馬是美國人獻給義大利人

的禮物，以此感謝所有豐富我們生活的義大利人。這項禮物，表彰義大利文藝復興留給文化、藝術及科學方面的豐厚遺產，在今日的美國社會仍持續激發我們的好奇、想像和創造力。

這尊馬像，非常忠於現典藏在英國、西班牙、義大利和法國的達文西原始素描，也保留達文西和文藝復興的精神。

在更寬闊的意義下，這匹馬的意義和自由女神像一樣，遠超過國家的疆界。這匹馬將會屹立一千年，做爲抵抗戰爭摧殘的永恆象徵，也是國家之間的友誼象徵。

如果你想要參與這項歷史性的計畫，請聯絡達文西之馬有限公司，地址爲：P. O. Box 396, Fogelsville, PA 18051-0396。電話是 (610)395-4060。

咱們米蘭見……

（中文版編註：這座馬像已經在米蘭揭幕。讀者如果想多知道一些相關細節，不妨上這個網站看一看：www.leonardoshorse.org）

本書圖片出處說明

第7頁〈基督的洗禮〉細部。

第15頁〈蒙娜麗沙〉(Mona Lisa)，達文西繪。現藏於巴黎羅浮宮。本圖取自紐約吉瑞登藝術資源(Giraudon/Art Resource)。

第25頁〈熱羅尼莫〉(St. Jerome)，達文西繪。本圖取自紐約吉瑞頓藝術資源。

第33頁〈自畫像〉，達文西繪。現藏於義大利圖林的瑞厄宮。本圖取自紐約阿力那瑞藝術資源(Alinari/Art Resource)。

第37頁 左圖，〈基督的洗禮〉(The Baptism of Christ)，維洛其奧繪。現藏於義大利佛羅倫斯烏菲其博物館。本圖取自紐約阿力那瑞藝術資源。本頁右圖爲其細部。

第38頁 梅迪奇胸像，維洛其奧製作。現藏於佛羅倫斯國立巴傑洛博物館。本圖取自紐約阿力那瑞藝術資源。

第39頁〈天使報喜圖〉(Annunciation)，達文西繪。現藏於佛羅倫斯烏菲其博物館。本圖取自紐約阿力那瑞藝術資源。

第40頁 斯佛札畫像，波特拉幅(Bpltraffio)繪。本圖取自紐約史卡拉藝術資源。(Scala/Art Resource)。

第41頁〈最後的晚餐〉，達文西繪。現藏於義大利米蘭聖瑪麗亞・德・格拉茲教堂。本圖取自紐約阿力那瑞藝術資源。

第42頁 右圖，〈三王禮拜圖〉，達文西繪。現藏於佛羅倫斯烏菲其博物館。本圖取自紐約阿力那瑞藝術資源。左圖爲本圖的習作。

第43頁 爲斯佛札青銅瑪像所作的素描。達文西繪。現藏於英國王宮皇家圖書館。本圖取自紐約史卡拉藝術資源(Scala/Art Resource)。

第44頁〈聖母聖子與聖安娜〉，達文西繪。本圖取自紐約史卡拉藝術資源。

第46頁 臨摹達文西的〈安加利會戰〉。魯本斯繪。現藏於巴黎羅浮宮。本圖取自紐約吉洛登藝術資源。

第51頁　〈雅典學園〉，對於柏拉圖與亞里斯多德的描繪。拉斐爾繪。現藏於梵諦岡王宮。本圖取自紐約阿力那瑞藝術資源。

第53頁　上圖，砲台，達文西繪。出於亞特蘭提斯抄本。本圖取自紐約阿力那瑞藝術資源。下圖，〈戰爭機器〉素描。達文西繪。現藏於大英博物館。本圖取自紐約阿力那瑞藝術資源。

第59頁　〈基督的洗禮〉細部。

第63頁　〈花的習作〉，達文西繪。現藏於義大利威尼斯的國家學院。本圖取自紐約阿力那瑞藝術資源。

第64頁　〈飛行機器〉，取自亞特蘭提斯抄本的一頁素描。現藏於義大利。本圖取自紐約阿力那瑞藝術資源。

第65頁　關於鳥的素描。現藏於法國法蘭西學院圖書館。本圖取自紐約藝術資源。

第69頁　達文西筆記本的一頁。英王依麗沙白二世皇家收藏。

第87頁　〈兩個人〉細部。

第105頁　關於麗達的習作，細部。

第147頁　〈岩石上的聖母〉細部。〉

第149頁　〈岩石上的聖母〉，現藏於羅浮宮。本圖取自紐約阿力那瑞藝術資源。

第151頁　〈兩個人〉。現藏於佛羅倫斯。本圖取自紐約阿力那瑞藝術資源。

第152頁　〈施洗者聖約翰〉。現藏於羅浮宮。本圖取自紐約吉瑞頓藝術資源。

第154頁　蒙娜麗沙與達文西自畫像並置。本圖爲電腦創作公司 (Computer Creations Corporation)所有。本圖取自紐約阿力那瑞藝術資源。

第167頁　〈雅典學園〉細部。

第170頁　伊摩拉城的地圖。本圖取自紐約史卡拉藝術資源。

第174頁　心智圖插畫。努薩·馬爾 (Nusa Maal) 繪。

第181至183、186頁　心智圖插畫。努薩·馬爾繪。
第191頁　身體的背面。細部。
第199頁　身體的背面。英王依麗沙白二世皇家收藏。
第213頁　耍把戲的人。努薩·馬爾繪。
第217頁　關於花的習作。達文西繪。現藏於義大利威尼斯的國家學院。本圖取自紐約阿力那瑞藝術資源。
第220頁　達文西所畫的龍，之一。英王依麗沙白二世皇家收藏。
第224頁　上左，關於花的習作。本畫爲仿作，原作收藏於英國王宮。由紐約吉瑞頓藝術資源提供。上右，大洪水，取自紐約吉瑞登藝術資源。下左，龍捲風，英王依麗沙白二世皇家收藏。下右，關於麗達的習作。本畫爲仿作，原作收藏於英國王宮。由紐約吉瑞登藝術資源提供。
第240頁　心智圖插畫。努薩·馬爾繪。
第253頁　關於側面的習作，細部。
第260頁　貓的姿勢習作。英國王宮收藏。本圖取自紐約藝術資源。
第262至287頁　素描課程練習。努薩·馬爾繪。
第289頁　關於側面的習作。英國王宮收藏。本圖取自紐約阿力那瑞藝術資源。
第290頁　斯佛札的畫像。現藏於佛羅倫斯。本圖取自紐約阿力那瑞藝術資源。
第291頁　達文西自畫像。
第293頁　〈基督的洗禮〉細部。

達文西生平年表

1452	(4.15)	達文西出生。
1453		拜占庭帝國淪亡。
1469		馬基維利出生。
		皮埃洛梅・梅迪奇逝世，羅倫佐・梅迪奇大人及朱利安諾接掌佛羅倫斯
1473		哥白尼出生。達文西獲准進入畫師公會。
1475		米開朗基羅出生。
1480		麥哲倫出生
1481		達文西繪製〈三王禮拜圖〉
1483		拉斐爾出生
1488		提香出生
1490		達文西成立自己的工作室
1492		哥倫布到達新大陸
1497		達文西繪製〈最後的晚餐〉
1499		斯佛札的騎馬塑像被毀
1504		米開朗基羅的〈大衛〉像完成，達文西提出意見建議它最合適的擺設地點
	(7.9)	達文西的父親逝世，留下十子二女
1506		〈蒙娜麗沙〉完成
1512		米開朗基羅完成西斯汀教堂的拱頂壁畫
1516	(4.23)	達文西離開義大利到安波瓦茲
1519	(5.2)	達文西去世

國家圖書館出版品預行編目資料

7 Brains: 怎樣擁有達文西的七種天才／麥可・葛柏 (Michael Gelb) 著；劉蘊芳譯.-- 初版-- 臺北市：大塊文化，1999 [民 88]
面；　公分. (Smile 028)
譯自：How to think like Leonardo da Vinci
ISBN 957-0316-00-4 (平裝)

1. 思考 2. 思考 － 問題集

176.4　　　　88014799

台北市羅斯福路六段142巷20弄2-3號

廣 告 回 信
台灣北區郵政管理局登記證
北台字第10227號

大塊文化出版股份有限公司　收

地址：_____市／縣_____鄉／鎮／市／區_______路／街_____段_____巷

弄_____號_____樓

姓名：

大塊 LOCUS 文化

編號：SM028　　書名：7 Brains

讀者回函卡

謝謝您購買這本書，爲了加強對您的服務，請您詳細填寫本卡各欄，寄回大塊出版 (免附回郵) 即可不定期收到本公司最新的出版資訊，並享受我們提供的各種優待。

姓名：____________________ **身分證字號**：____________________

住址：____

聯絡電話：(O)____________________ (H)____________________

出生日期：______年____月____日 E-Mail：____________________

學歷：1.□高中及高中以下 2.□專科與大學 3.□研究所以上

職業：1.□學生 2.□資訊業 3.□工 4.□商 5.□服務業 6.□軍警公教 7.□自由業及專業 8.□其他________

從何處得知本書：1.□逛書店 2.□報紙廣告 3.□雜誌廣告 4.□新聞報導 5.□親友介紹 6.□公車廣告 7.□廣播節目8.□書訊 9.□廣告信函 10.□其他__________

您購買過我們那些系列的書：

1.□Touch系列 2.□Mark系列 3.□Smile系列

閱讀嗜好：

1.□財經 2.□企管 3.□心理 4.□勵志 5.□社會人文 6.□自然科學 7.□傳記 8.□音樂藝術 9.□文學 10.□保健 11.□漫畫 12.□其他_____

對我們的建議：____